CLYWED YR UNIGOLYN SYDD Â DEMENTIA

Dulliau Cyfathrebu sy'n Canolbwyntio ar yr Unigolyn ar gyfer Teuluoedd a Gofalwyr

Bernie McCarthy

atebol

Y fersiwn Saesneg:

Cyhoeddwyd gyntaf yn 2011 gan Jessica Kingsley Publishers,
73 Collier Street, Llundain N1 9BE a
400 Market Street, Suite 400, Philadelphia, PA 19106, UDA

Hawlfraint y testun © Bernie McCarthy 2011

Y fersiwn Cymraeg:

Cyhoeddwyd yn y Gymraeg gan Atebol Cyfyngedig, Adeiladau'r Fagwyr,
Llanfihangel Genau'r Glyn, Aberystwyth, Ceredigion SY24 5AQ

Addaswyd gan Eiddwen Jones
Dyluniwyd gan Owain Hammonds

Hawlfraint © Atebol Cyfyngedig 2019

Atgynhyrchwyd y dyfyniad ar dudalen 48 gyda chaniatâd caredig Aitken
Alexander Associates ac Edward de Bono. Hawlfraint © Edward de Bono.

Yr epigraff ar dudalen 85 wedi'i atgynhyrchu gyda chaniatâd Habib
Chaudhury.

ISBN: 978-1-912261-83-3

Dymuna'r cyhoeddwr gydnabod cymorth ariannol Cyngor Llyfrau Cymru

www.atebol-siop.com

CYDNABYDDIAETHAU

Diolch yn fawr i Virginia Moore a Kim Wylie am amlygu'r dull sy'n canolbwyntio ar yr unigolyn i drin pobl sy'n byw gyda dementia. Maent wedi fy ysbrydoli i ymchwilio ac i ddeall ystyr canolbwyntio ar yr unigolyn. Cefais fy nghefnogi hefyd gan Dawn Brooker sy'n ymgorffori'r dull hwn yn ei gwaith a'i pherthynas â phobl. Mae ei harweiniad hi wedi fy nghynorthwyo i werthfawrogi'r agweddau mwy cynnil ar helpu pobl mewn sefydliadau i ganolbwyntio mwy ar yr unigolyn. Mae fy mywyd gydag Anne a Scarlett yn fy nghynnal ac yn fy rhyfeddu – diolch. Cyflwynaf y llyfr hwn i'r bobl hyn, i'r rheini sy'n byw gyda dementia ac i'r rheini sy'n gofalu'n ddyddiol am eu hanwyliaid.

CYNNWYS

CYFLWYNIAD

Mae cyfathrebu'n cynnal perthynas. Mae cyfathrebu da yn iachus, yn hyfryd ac yn gofiadwy. Mae'n creu agosatrwydd, yn ein cyfoethogi ac o ganlyniad rydym yn well pobl. Mae cyfathrebu gwael fel bwyd gwael – yn wenwynig ac yn beryglus.

Bernie McCarthy

Ysgrifennais *Clywed yr Unigolyn sydd â Dementia* yn sgil fy mhrofiad personol yn cefnogi gofalwyr pobl sy'n byw gyda dementia gartref neu mewn gofal preswyl. Mae wedi'i ysgrifennu ar gyfer y gofalwyr hyn.

Dros y blynyddoedd y bûm yn gweithio mewn gofal yr henoed, rwyf wedi tystio bod cyfathrebu da yn llwyddo i gyrraedd unigolion oedd yn cael eu hystyried yn bobl na ellid eu 'cyrracdd' ohcrwydd nam gwybyddol. Yn anffodus, rwyf hefyd wedi tystio i effeithiau cyfathrebu gwael ac wedi gweld rhai'n gwywo o flaen fy llygaid wrth iddynt fod yn rhwystredig pan fydd staff gofalu a/neu eu teulu yn methu eu deall nhw. Rwy'n gobeithio y bydd y syniadau yn y llyfr hwn o gymorth i chi ryngweithio â'r person rydych yn gofalu amdano. Gobeithio y bydd yn hapusach, yn fwy bodlon a heddychlon yn ei gysylltiad â chi ac â'i fywyd yn y gorffennol ac yn y presennol.

CYFATHREBU

Mae'n anodd weithiau

Rydym yn cyfathrebu er mwyn cyfleu neges, rhannu syniadau a gweld beth mae eraill yn ei feddwl a'i deimlo, meithrin agosatrwydd a rhannu problemau a'u datrys. Heb y gallu i gyfathrebu mae'n anodd cynnal ymdeimlad o berthynas, cysylltiad ac ymlyniad seicolegol â phobl eraill. Dyma'r anhawster sy'n wynebu'r rhai sydd wedi colli'r gallu i gyfathrebu'n glir. Mae'n anodd iawn iddynt ein cael ni i ddeall eu profiadau mewnol, eu hanghenion a'u dymuniadau. Yn yr un modd maent yn methu deall yr hyn fyddwn ni yn ei ddweud a'i gyfleu. Mae'n anodd i ni eu deall nhw a chyfleu ein neges iddynt. Mae'n ymdrech sy'n llawn rhwystredigaeth a thensiwn, weithiau; gall ein blino'n llwyr a lladd pob teimlad. Ar y llaw arall, ceir cyfnodau hapus o lawenydd pur pan fydd y ddwy ochr fel petaent yn meddwl yr un peth, y naill yn cysylltu â'r llall ac yn deall ei gilydd. Bryd hynny, mae'n ymddangos mor hawdd.

Mae ein dull o gyfathrebu'n effeithio'n fawr ar ansawdd ein perthynas ag eraill ac ar ein bywyd. P'un a ydych yn gymar neu'n ofalwr cyflogedig, os oes gennych berthynas â rhywun sydd â dementia, efallai y bydd hi'n anodd cyfathrebu â'ch cymar, eich perthynas, eich cyfaill neu eich cleient. (I'r darllenwyr hynny sy'n gweithio gyda rhywun â nam deallusol, newidiwch y geiriau sy'n ymwneud â dementia a rhowch eiriau yn eu lle sy'n cyd-fynd â'ch sefyllfa chi. Gobeithio y bydd hyn yn helpu). Mae'n anodd cynnal perthynas gydradd gan fod dementia yn graddol effeithio ar allu'r person i gyfrannu'n gydradd at y berthynas.

Mae'r dull cyfathrebu sy'n canolbwyntio ar yr unigolyn yn gallu rhoi'r person flaenaf a bydd y dementia yn eilradd iddo.

Cyn i ni fynd ymhellach, rhaid deall sut mae ymennydd iach yn gweithio a beth sy'n digwydd pan fydd dementia'n effeithio arno. Yn yr adran nesaf byddwn yn edrych ar yr ymennydd, sut mae'n gweithredu a sut mae'n ein galluogi i roi siâp i'n profiad o'r byd. Wedyn bydd rhai cwestiynau i brofi eich dealltwriaeth.

Dementia a'r ymennydd

Mae'r dull sy'n canolbwyntio ar yr unigolyn yn rhoi gwerth ar bob agwedd ar y person ac mae hyn yn cynnwys ei iechyd biolegol, yn enwedig ei ymennydd. Mae ymennydd normal yn cyflawni pethau gwyrthiol i'n gwneud ni'n llwyddiannus. Ystyriwch am funud yr holl benderfyniadau rydych wedi'u gwneud heddiw – deffro, codi o'r gwely, dewis dillad i'w gwisgo, gwisgo amdanoch, bwyta brecwast, gyrru'r car, cerdded, beicio neu deithio ar gludiant cyhoeddus i'r gwaith.

Mae'r ymennydd rhyfeddol hwn yng ngheudod y benglog ac yn cynnwys biliynau o gelloedd a elwir yn niwronau. Mae'r rhain yn gyrru negeseuon cemegol a thrydanol i bob rhan o'r ymennydd wrth ymateb i'r synhwyrau ac yn aml wrth ymateb i'ch dychymyg, eich cof a'ch teimladau.

Pan fydd eich ymennydd yn gweithredu fel y dylai, gallwch feddwl, cofio, datrys problemau, teimlo emosiynau, dychmygu, siarad a deall lleferydd pobl eraill, adnabod pethau yn y byd o'ch cwmpas a llawer, llawer mwy.

Pan fydd yr ymennydd wedi'i effeithio gan afiechyd (fel clefyd Alzheimer) neu ddiffyg megis rhwystr i'r cyflenwad gwaed, neu gan ddolur neu niwed, rydym yn dechrau gweld bywyd yn wahanol ac ymhen amser yn dechrau ymddwyn yn wahanol.

Os oes clefyd Alzheimer ar yr un rydych chi'n gofalu amdano, un o'r arwyddion cyntaf yw sylwi ei fod yn cael anhawster cofio a dod o hyd i eiriau. Y peth amlycaf ynglŷn â chlefyd Alzheimer yw ei fod yn glefyd cynyddol – hynny yw, mae'r anawsterau'n gwaethygu'n raddol gydag amser. Yn y cyfnodau cynnar, efallai y bydd y person yn mynd ar goll ac yn cael anhawster cyrraedd y mannau oedd gynt yn gyfarwydd iddo. Mae gwybodaeth ardderchog a manwl yn nhaflenni'r Alzheimer's Association ac adnoddau gan fudiadau eraill y gallwch gael hyd iddynt yn rhwydd drwy chwilio gyda Google. Gofalwch fod y wybodaeth yn gywir ac wedi'i pharatoi gan awdurdod cydnabyddedig. Os yw wedi'i baratoi gan brifysgol neu asiantaeth swyddogol, fel arfer gallwch fod yn sicr o safon y wybodaeth.

Y peth pwysicaf oll ar yr adeg hon yw ichi gadw mewn cysylltiad â'r person a bod yn sensitif i'w deimladau am yr hyn sy'n digwydd iddo. Bydd pawb yn ymateb mewn modd sy'n synhwyrol iddo. Neu, mae pawb yn ceisio gwneud synnwyr o'r byd fel y mae'n ei ddeall.

Mae hyn yn bwysig i'r dull canolbwyntio ar yr unigolyn. Mae gwerthfawrogi safbwynt yr unigolyn yn ei helpu i gynnal ei sgiliau cymdeithasol ac yn ei alluogi i ymarfer y sgiliau hyn gyhyd â phosib.

Er enghraifft, i rai pobl nid yw anghofio pethau yn broblem emosiynol, ond i eraill gallai olygu eu bod yn teimlo'n fethiant neu'n berson gwael. Mae hyn yn digwydd weithiau os ydynt yn cofio profiadau drwg, fel anghofio pethau pan oeddent yn blant ac yn cael eu cosbi am hynny, fel y byddai'n digwydd i nifer o bobl. Felly, synhwyrwch agwedd emosiynol yr hyn sy'n digwydd i berson pan fydd yn anghofio, nid dim ond yr hyn sy'n amlwg (sef yr anghofio).

Hemisfferau'r ymennydd

Mae i'r ymennydd ddau hanner, wedi'u cysylltu yn y canol yn debyg i flodfresychen (*cauliflower*) gyda blodigion (*florets*) wedi'u cysylltu â'i gilydd wrth y goes. Credir bod gweithrediadau'r ddau hanner ychydig yn wahanol i'w gilydd. Un o'r gwahaniaethau amlycaf a'r pwysicaf yw iaith. Yn yr hemisffer chwith mae'r meddwl mwy rhesymegol a strwythuredig yn digwydd. Mae gweithgaredd mwy creadigol a mynegiannol yn digwydd yn yr hemisffer de. Mae gweithrediad iaith yn amlycach yn hemisffer chwith pobl llaw dde (tua 90 y cant) nag yn hemisffer chwith pobl llaw chwith (tua 50 y cant).

Cyfathrebu / 15

Llabed barwydol
Gallu gweledol-gofodol
(eich map mewnol)
Barnu gweadedd,
pwysau, maint, siâp
Cyfuno gwybodaeth
lafar ac ysgrifenedig

Llabed flaen
Cynllunio
Trefnu
Datrys problemau
Penderfynu
Ymwybyddiaeth
gymdeithasol
Rheoli emosiynau

Llabed yr ocsipwt →
Prosesu gweledol
Siapiau
Lliwiau

← Llabed yr arlais
Cof – gweithredol a
thymor hir
Emosiwn
Profi synhwyrau

Cerebelwm →
Cydbwysedd
Cydsymud cyhyrau

Llabedau'r ymennydd

Mae pedair rhan neu 'labed' y byddwn yn sôn amdanynt
fel arfer: llabed flaen (*frontal lobe*), llabed barwydol
(*parietal lobe*), llabed yr ocsipwt (*occipital lobe*) a llabed
yr arlais (*temporal lobe*). Rhan bwysig arall yw'r system
limbig. Mae gweithrediad yr ymennydd fel gweithgaredd
'tîm' gyda phob rhan yn gweithredu gyda chymorth y
rhannau eraill i greu ein profiadau. Mae rhai rannau'n
arbenigo ar weithrediadau penodol – er enghraifft, mae
llabed yr arlais yn ymwneud â'r cof a llabed yr ocsipwt
yn ymwneud â'r golwg. Dewch i ni edrych ar bob un o'r
llabedau hyn.

1. Llabedau blaen

Mae'r llabedau blaen yn union y tu ôl i'r talcen ac maent
yn bwysig iawn i lunio ymddygiad cymdeithasol

(gwybod sut i ymddwyn yng nghwmni eraill), datrys problemau, meddwl yn haniaethol (gallu meddwl am syniadau fel 'diogelwch' neu 'foesoldeb'), y gallu i ddechrau neu beidio â gwneud neu ddweud pethau, gwybod sut mae pobl eraill yn teimlo ac addasu ein hymddygiad er eu mwyn nhw, a gwneud penderfyniadau. Hwn yw'r 'swyddog gweithredol', y rheolwr sy'n ein helpu i'n rheoli ein hunain ac i ymwneud ag eraill yn y byd mewn modd diogel a chymdeithasgar.

Nid yw'r llabedau blaen wedi'u ffurfio'n llawn nes i ni gyrraedd canol ein dauddegau, sy'n esbonio pam mae rhai pobl ifanc yn eu harddegau yn cymryd risgiau ac yn ymddwyn mewn modd sy'n achosi rhwystredigaeth a phryder i'w rhieni.

Mae'r llabedau blaen yn ein helpu hefyd i gyflawni tasgau cymhleth fel gwisgo amdanom a gwneud hynny yn y drefn gywir.

Roedd Sarah yn cael anhawster gwisgo amdani yn y drefn gywir a bob dydd byddai'n cerdded i'r ystafell fwyta a'i dillad isaf dros ei thracwisg. Ryw fore bu'n cael trin ei gwallt. Wrth iddi gerdded i mewn i'r ystafell fwyta, roedd hi'n amlwg yn teimlo'n hyderus, fel y bydd rhywun ar ôl cael trin ei gwallt, yn cario'i bag llaw ond a'i dillad isaf dros ei thracwisg. Daeth aelod o'r staff ati a dweud yn dawel, 'Sarah, mae dy ddillad isaf di dros dy dracwisg.' Trodd Sara ati a dweud yn swta, 'Fel hyn rydyn ni'n eu gwisgo nhw yma!'

---

2. Llabedau'r arlais

Mae llabedau'r arlais yn agos at ei gilydd ar naill ochr y pen, o flaen y clustiau (yn yr arleisiau) ac maent yn bwysig i'r cof, yn anad dim. Mae gennym fwy o wybodaeth o lawer am y cof nawr nag oedd gennym yn y gorffennol. Byddem yn sôn am gof tymor byr, ond bellach defnyddiwn y term 'cof gweithredol'. Mae hyn yn cyfeirio at y gallu i ddal darnau o wybodaeth yn ein meddyliau yn ddigon hir i fedru eu defnyddio, hynny yw, i weithio gyda nhw. Enghraifft o hyn yw cofio rhif ffôn neu wneud rhestr siopa, neu gofio enw person mewn sgwrs er mwyn i ni ei ddefnyddio eto ar yr adeg iawn.

Cof tymor hir, ar y llaw arall, yw'r gallu i storio gwybodaeth/profiadau am gyfnod hir ac ar hyd oes. Gallwn wneud hyn fel arfer drwy ailadrodd gwybodaeth yn aml nes ein bod wedi'i 'dysgu'. Yna gallwn ailafael ynddi pan fo'r gofyn, er enghraifft, pan fydd rhywun yn gofyn 'Ble gawsoch chi eich geni?'

Math arall o gof yw cof 'semantig', sef y gallu i gofio ystyr pethau. Mae gwybod ystyr y gair 'moron' neu adnabod llun o 'grys' neu 'doiled' yn bwysig er mwyn eich gallu sylfaenol i gyflawni gweithredoedd fel coginio, gwisgo neu fynd i'r toiled.

3. Llabedau parwydol

Y rhan nesaf o'r ymennydd yw'r llabedau parwydol sy'n gyfrifol am eich gallu i gofio'ch ffordd ac i beidio â mynd ar goll, er enghraifft, cofio ble yn yr archfarchnad mae'r rhewgelloedd, neu ble mae'r car yn y maes parcio. Mae hefyd yn eich helpu i wneud patrwm ystyrlon o ddarnau o sefyllfa, er enghraifft, cyfuno'r holl symbylau synhwyraidd mewn gêm bêl-droed i greu 'profiad' ohoni, neu drefnu geiriau'n batrwm fel brawddeg sy'n cyfleu syniad. Hefyd mae'n eich helpu i adnabod pethau, fel dillad neu fwydydd ac yn eich helpu i gyfrif.

4. Llabedau'r ocsipwt

Yn olaf, mae llabed yr ocsipwt yng nghefn y pen. Dyma ble mae'r golwg yn cael ei brosesu. Yma, mae'r ymennydd yn dehongli'r hyn y mae'n ei weld (felly, fe allech ddweud bod gennych lygaid yng nghefn eich pen!). Mae golwg pobl sydd â nam ar yr ymennydd yn dirywio oherwydd fe all yr ymennydd golli rhai o'i gelloedd wrth i'r clefyd waethygu. O ganlyniad, mae disgleirdeb a goleuo gwastad, diffyg golau llachar, a chyferbyniad amlwg rhwng pethau a'u cefndir, yn bwysicach o lawer i alluogi'r person i weithredu pan fydd y tu mewn.

Y system limbig ac emosiwn

Prif nodwedd olaf yr ymennydd wrth i ni drafod cyfathrebu yw'r system limbig. Mae'r rhan hon yn bwysig iawn o ran profiad emosiynol, sy'n hollbwysig i gyfathrebu da. Mae'n cynnwys rhannau o bob un o'r llabedau ac yn amgylchynu'r rhan hynafol o'r ymennydd sydd gennym yn gyffredin â fertebratau eraill. Mae'r system limbig yn ein helpu i roi 'label emosiynol' ar ein holl brofiadau. (Rydym yn hoffi rhywbeth/rhywun neu nid ydym yn ei hoffi. Cawn ein denu at rai pobl ac nid at eraill. Cawsom amser da neu roeddem yn ofnus neu'n flin.)

Mae emosiynau'n rhan hanfodol o fywyd dynol, gan fod ein teimladau yn ein helpu i werthfawrogi, i barchu ac i garu pobl, rolau, gweithgareddau a'r rhyngweithio gyda'n gilydd. Hebddynt nid oes gennym ond greddf goroesi i'n helpu i ddewis. Byddai bywyd wedyn yn mynd yn ddiflas a di-liw heb ein hemosiynau.

Mae'r system limbig yn ein helpu i roi trefn ar ein hoff bethau ac i wneud dewisiadau sy'n seiliedig ar deimladau, ac yn aml ar atgofion o brofiadau'r gorffennol a fu efallai'n bleserus ac yn fwynhad neu'n ddychrynllyd ac yn amhleserus. Mewn trawma mae'r system hon yn ein hamddiffyn rhag profiadau emosiynol hynod o amhleserus drwy 'rwystro' teimladau o rannau synhwyraidd ein profiadau yn y gorffennol. I'r un sydd â dementia, gall trawma o'r gorffennol ymyrryd â bywyd pob dydd y presennol, oherwydd gall ddrysu'r rhyngddo a'r hyn sy'n digwydd yn y presennol. Mae'r system limbig yn adnabod teimlad sy'n debyg i'r hyn a brofwyd yn y gorffennol. Gall atgofion ddod i'r wyneb nad oes ganddynt ddim oll i'w wneud â'r presennol, ond mae ganddyn nhw gysylltiad agos iawn â'r hyn ddigwyddodd ymhell bell yn ôl, pan oedd yn teimlo'n debyg i'r hyn y mae'n ei deimlo nawr.

Bu Tom yn ymladd yn Borneo yn ystod yr Ail Ryfel Byd a chafodd ei garcharu gan y Japaneaid. Bu'n gaeth mewn gwersyll am sawl blwyddyn, ac yn ystod y cyfnod hwnnw fe brofodd boen a chaledi enbyd a bu'n dyst i erchyllterau sydd wedi aros yn ei gof. Erbyn hyn, ac yntau yn ei wythdegau a dementia arno, nid yw'n cysgu'n dda ac mae'n deffro yn domen o chwys o ganlyniad i hunllefau mae'n methu eu hegluro. Bydd yn gwylltio ac yn beio'r staff pan fyddant yn gofyn iddo, er enghraifft, i fynd i'r toiled. Nid yw'n hoffi bod person arall yn ei reoli neu'n gofyn iddo wneud pethau. Mae ei gorff yn denau ac yn nychlyd, fel yr oedd pan oedd yn garcharor. Mae'n ofnus ac yn credu ei fod yn ôl yn y gorffennol.

Mae meddwl a chorff Tom yn ail-fyw'r dioddefaint a brofodd yn ystod y rhyfel oherwydd bod ei feddwl a'i gorff yn 'teimlo' fel yr oeddent bryd hynny.

Gweithrediad yr ymennydd mewn bywyd pob dydd

Dewch i ni edrych yn awr ar nifer o weithrediadau mae'r ymennydd yn ein helpu i'w cyflawni yn ystod y dydd.

Cof

Mae'r ymennydd yn arbennig o dda yn ein helpu i benderfynu a ydym wedi gweld pethau o'r blaen ai peidio. Os ydym yn gweld rhywbeth newydd, mae ein hymennydd yn canolbwyntio arno ac yn ceisio penderfynu a yw'n bwysig. Er enghraifft, os ydym yn mynd heibio cannoedd o geir ar y ffordd i'n gwaith, nid yw'n hymennydd yn rhoi sylw i bob un. Fodd bynnag, pe bai car yn taro yn erbyn ein car ni, byddwn yn cofio lliw neu wneuthuriad y car oherwydd iddo ddod yn bwysig neu'n arwyddocaol i ni. Mae hyn yn dweud rhywbeth wrthym ynglŷn â'r modd o gofio pethau. Os yw rhywbeth yn arwyddocaol, mae'n haws ei gofio. Hefyd, os yw'n bwysig yn emosiynol (fel car yn ein taro), byddwn yn ei gofio.

Dyma pam y mae person â dementia yn cofio rhai pethau ac nid pethau eraill. Bydd yn cofio aelod o staff y mae'n ei hoffi neu nad yw'n ei hoffi, ond ni fydd yn cofio eraill nad yw'n ymateb yn emosiynol iddynt.

Ffactor pwysig arall ynghylch y cof yw ailadrodd. Rydym yn dysgu pethau wrth eu hailadrodd drosodd a thro, fel eu bod yn haws i ni eu cofio. Mae hyn yn bwysig i bobl sydd â dementia, oherwydd maent yn gallu parhau i ddysgu gwybodaeth newydd os byddwn yn ei ailadrodd wrthynt o fewn rhychwant eu cof gweithredol sy'n lleihau. Efallai y byddwch yn gallu defnyddio hyn i helpu'r un sydd â dementia i gadw'i gysylltiad â phrofiadau'r gorffennol. Dim ond hel atgofion yw hyn ond mae'n ddull arbennig o werthfawr o helpu'r person i gadw mewn cysylltiad â'i hunaniaeth.

Iaith

Mae mynegi ein meddyliau mewn modd dealladwy i bobl eraill yn allu dynol sylfaenol ac yn aml rydym yn ei gymryd yn ganiataol. Yn cyd-fynd â'r gallu hwn mae deall yr hyn y mae eraill yn ei ddweud wrthym. Mae'r gallu dwyffordd hwn yn sylfaenol i gymdeithasu dynol ac mae'n hwyluso agosatrwydd, datrys problemau, doethineb a chyfleu ein hanghenion a'n dymuniadau pob dydd.

Mae'n mynd yn anoddach yn raddol i'r sawl sydd â chlefyd Alzheimer ddod o hyd i eiriau priodol. Yn ogystal â cholli ei gof, mae sgwrsio mor rhwydd a rhugl ag yr oedd gynt yn mynd yn fwy a mwy anodd iddo.

Roedd Dennis yn newyddiadurwr llwyddiannus a oedd yn ymfalchïo yn ei eirfa eang a'i feistrolaeth ar Saesneg. Pan ddechreuodd gael anhawster dod o hyd i eiriau priodol a dechrau gwneud camgymeriadau na fyddai byth wedi'u gwneud o'r blaen, dechreuodd golli hyder a rhoddodd y gorau i ysgrifennu. Enciliodd gan aros gartref gyda theimlad o embaras na fedrai mwyach feddwl na siarad â'r ddawn goeth y bu'n ymfalchïo ynddi.

Y synhwyrau a'r ymennydd

Mae'r ymennydd yn ein helpu i ddeall yr hyn sy'n digwydd yn y byd o'n cwmpas. Mae'n gwneud hyn trwy dynnu ar wybodaeth gan y pum synnwyr – gweld, clywed, cyffwrdd, blasu ac arogli. Mae'r sianelau hyn o wybodaeth yn llifo i'r ymennydd mor gyflym, mae wedi darganfod dull o ganolbwyntio'n unig ar y wybodaeth sy'n newid, gan brosesu gweddill y wybodaeth yn awtomatig, fel nad oes rhaid i ni ganolbwyntio arno. Mae'r gallu hwn yn rhyddhau'r ymennydd i ganolbwyntio ar y rhannau hynny o'n bywyd sy'n newid ac nid ar y rhannau arferol, cyfarwydd.

Roedd Jean yn gwerthu blodau ac yn adnabod blodau mor dda fel y gallai greu tusw hardd mewn byr o dro. Roedd yn gwneud hyn heb feddwl. Ond nawr, a dementia arni, mae'n cael anhawster gwneud pethau syml bob dydd roedd yn eu gwneud gynt yn ddiymdrech. Pan ofynnwyd iddi wneud y dasg gyfarwydd a phleserus o drefnu ffiol o flodau, cynhyrfodd drwyddi a chafodd ei llethu.

Ymdeimlad corfforol

Mae ein cyrff a'n hymennydd wedi'u cysylltu gan niwronau sy'n ysgogi'r cyhyrau ac yn derbyn gwybodaeth gan ein croen a'n cyhyrau. Wrth gyffwrdd plât poeth iawn ar stof, mae ein hymennydd yn synhwyro hynny ac yn dweud wrth y cyhyrau am dynnu'n ôl er mwyn ein harbed rhag niwed.

Mae ein hymennydd hefyd yn gallu darllen yr hyn sy'n digwydd yn ein corff. Mae ymdeimlad mewnol yn dweud wrthym pan fydd angen bwyd neu ddiod arnom, neu fod angen mynd i'r toiled, ac yn tynnu'n sylw at yr hyn sydd angen ei wneud i ymateb i'r teimlad yn ein corff.

Cymerai Mavis ofal mawr o'i glendid personol a byddai'n rhoi digon o amser i fynd i'r toiled. Byddai'n trefnu ei theithiau fel bod toiled hwylus o fewn cyrraedd ac yn 'mynd' bob amser cyn gadael y tŷ. Bellach, a'i hymennydd yn methu darllen ei hymdeimlad mewnol o bledren lawn, mae'r teimlad yn ei chynhyrfu ac mae'n methu penderfynu beth y dylai ei wneud amdano. Yn ddiweddar, cafodd ddamwain neu ddwy a barodd iddi gymryd ati yn arw a chreu cryn embaras ei bod wedi gwneud y fath gamgymeriad. Erbyn hyn mae'n mynd yn orbryderus ac mae'n gwrthod mynd ar y bws neu fynd allan am dro yn y bore.

Poen a'r ymennydd

Mae'r profiad o boen yn gymhleth. Mae'r ymennydd yn synhwyro bod rhan o'r corff mewn gwewyr ac mae'n dehongli'r ymdeimlad hwn, gan achosi i'r corff ymateb iddo. I'r sawl sydd â dementia gall fod yn anodd deall bod yr ymdeimlad yn gysylltiedig â phoen. Efallai nad yw'n deall ei fod mewn poen neu mae'n methu datrys y profiad anghyfforddus sy'n achosi'r fath wewyr iddo. Mae'n bosib nad yw wedi sylweddoli mai poen yw'r profiad. O ganlyniad gallai fethu lleddfu'r boen naill ai trwy ddweud wrth rywun arall amdano (fel y bydd y rhan fwyaf ohonom) er mwyn cael help, neu drwy geisio gwneud rhywbeth ei hun. Mae delio'n llwyddiannus â phoen yn galw am gyfres gymhleth o feddyliau ac emosiynau sy'n cysylltu â'i gilydd ac o ganlyniad yn lleddfu'r boen, ond gall hyn fod yn ormod i rywun â dementia.

Yr hyn sy'n bwysig i ni yw medru adnabod arwyddion poen y bydd person â dementia yn ceisio'u cyfleu gan ddefnyddio 'iaith' ddieiriau. Cofiwch fod ymddygiad yn iaith; gellir cyfleu poen drwy'r wyneb, ystum, cyffwrdd rhan o'r corff, gwneud synau, newid ymddygiad neu hwyliau. Chwiliwch am yr arwyddion ac efallai y byddwch yn deall y broblem yn gynt na'r un sydd â dementia ac yn gallu lliniaru'r boen.

Blinder

Nid yw'r sawl sy'n byw â dementia yn gallu dweud ei fod wedi blino a bod angen iddo fynd i'r gwely. Fel ymdeimladau eraill, mae'r profiad o flinder yn gofyn am allu i synhwyro'r broblem, ei deall ac wedyn gweithredu i ddelio â hi. Efallai na fydd y person yn gallu llwyddo i wneud hyn. Yr hyn a welwn yw'r person yn cynhyrfu mwy, yn mynd yn bigog, yn aflonydd neu'n drysu, efallai. Bydd pawb yn ymateb yn wahanol i flinder, felly rhaid dod yn gyfarwydd â'r modd mae person yn ymddwyn pan mae wedi blino ac yn gwneud rhywbeth sy'n ei helpu i ddelio â'r broblem heb deimlo'i fod yn cael ei lethu. Mae hyn yn ein harwain at ddull o gyfathrebu sy'n ein helpu i ganolbwyntio ar les y person, ac nid yn unig ar ganlyniadau cyflawni tasgau sy'n rhan draddodiadol o bwrpas gofalu.

Yr ymennydd a heintiau

Mewn person hŷn gall haint achosi i'r ymennydd gamweithredu yn fwy nag mewn person ifanc. Gall heintiau o'r fath gynnwys haint ar y llwybr wrinol, ar y frest neu ar y llwybr resbiradu uchaf, neu ar glwyfau nad ydynt yn gwella'n iawn.

Mae iechyd corfforol y rhai yn ein gofal yr un mor bwysig i ni fel gofalwyr â'u hiechyd emosiynol. Mae'n bwysig felly cael diagnosis meddygol a thriniaeth mor fuan ac mor effeithiol â phosib i'r sawl sydd â dementia. Mae anwybyddu salwch am ychydig ddyddiau cyn galw meddyg yn gallu arwain at ganlyniad gwael i'r person gan fod ymladd haint yn anoddach iddo nag i berson ifanc.

Yr ymennydd a bwyd

Rydym yn gwybod bod bwyd maethlon yn hanfodol bwysig ar gyfer cryfder cyhyrau a dwysedd esgyrn. Mae'r ymennydd yn dibynnu hefyd ar y maeth rydym yn ei gael o fwyd a hylif er mwyn gallu meddwl, cofio, teimlo, synhwyro ac amgyffred – a chymerwn hyn yn ganiataol bob dydd. Mae deiet iachus yn hanfodol i rywun sy'n byw â dementia, fel y mae i bawb ohonom. Mae bwyd gwael yn golygu gweithgaredd gwael yn yr ymennydd. Mae bwyd da yn golygu bod yr ymennydd yn gweithredu'n well. Felly, bydd deiet cytbwys yn gwella'r cof a'r meddwl, yn rhoi person mewn hwyliau da ac yn ei helpu i weithredu hyd eithaf ei allu. Mae digonedd o wybodaeth ar gael ynglŷn â deiet cytbwys. Os ydych yn ofalwr yn y cartref ac yn ansicr, cysylltwch â deietegydd neu faethegydd a gofyn iddo gynllunio deiet addas i'r sawl sydd yn eich gofal ac i chithau, gan ystyried oedran, cyflwr corfforol a ffordd o fyw.

Gweithrediad yr ymennydd mewn bywyd pob dydd

1. Pa ran o'r ymennydd sy'n gyfrifol am ymddygiad cymdeithasol?

2. Pa alluoedd sy'n dangos ôl dirywiad yn gynnar yn natblygiad clefyd Alzheimer?

3. Sut mae'r system limbig yn ein helpu i weithredu?

4. Pa rannau o ymennydd Tom oedd yn achosi iddo ymateb yn gryf gydag emosiwn nawr? (Gweler tudalen 19.)

5. Pe bai gennych broblemau siarad, pa rannau o'r ymennydd allai fod wedi'u hamharu?

6. Pa rannau o'ch ymennydd fyddwch chi'n eu defnyddio wrth wisgo amdanoch yn y bore?

7. Pa rannau o ymennydd Sarah sy'n methu? (Gweler tudalen 16.)

8. Sut mae'r system limbig yn ein helpu i ymateb i'r byd o'n cwmpas?

9. A yw'r system limbig yn ffynhonnell ddibynnol o wybodaeth am ein profiad ar hyn o bryd neu a yw'n achosi dryswch rhwng y gorffennol a'r presennol?

10. Sut mae ein deiet yn effeithio ar y modd mae ein hymennydd yn gweithio?

11. Sut mae ein deiet yn effeithio ar ein hwyliau?

CLYWED YR UNIGOLYN

Gan ein bod wedi ystyried yr ymennydd a sut mae'n gweithio, edrychwn yn fanylach ar y dull sy'n canolbwyntio ar yr unigolyn wrth ymdrin â rhywun sydd â dementia.

Elfen gyffredin mewn gofal meddygol modern erbyn hyn yw canolbwyntio ar yr unigolyn. Defnyddir y term hwn i olygu nifer o bethau ac o ganlyniad efallai na fydd yn golygu dim yn y diwedd. Mae angen model syml arnom er mwyn deall y term canolbwyntio ar yr unigolyn. Y dull symlaf a mwyaf cynhwysfawr yw'r model 'VIPS' (Brooker 2004, 2007).

Mae'r dull VIPS, a ddatblygwyd gan Dawn Brooker o Brifysgol Caerwrangon, yn cynnwys pedair elfen a gaiff eu cynrychioli gan lythrennau'r acronym Saesneg am Bobl Bwysig Iawn – VIPS (*Very Important Persons*):

V = *value* / gwerth
I = *individualised* / i'r unigolyn
P = *perspective* / safbwynt
S = *social* / cymdeithasol

Mae'r pedair elfen allweddol hyn yn cynnig i ni ddull o ddeall a defnyddio cyfathrebu sy'n canolbwyntio ar yr unigolyn, dull syml ond soffistigedig.

- Mae *gwerth* parhaol gan bawb sydd â dementia na all afiechyd nac anabledd ei ddinistrio. Pa nam bynnag sydd arno, mae'n dal i fod yn berson.

- Mae *i'r unigolyn* yn cyfeirio at yr angen i addasu popeth a wnawn ac a ddywedwn (ai peidio) wrth yr unigolyn sydd o'n blaen ac i osgoi defnyddio'r dull 'run fath i bawb wrth gyfathrebu ag ef ac ymddwyn tuag ato.

- Golyga *safbwynt* agwedd yr un sydd â dementia; hynny yw, beth mae'n ei feddwl, yn ei deimlo, yn ei gyffwrdd, yn ei flasu, yn ei arogli, yn ei glywed, yn ei weld, ei angen ac yn ei gofio?

- *Cymdeithasol* yw'r gydnabyddiaeth ein bod i gyd yn 'fodau cymdeithasol' a bod angen cysylltiad/ agosatrwydd/cyfeillgarwch ag eraill arnom yng nghyd-destun perthynas, teulu, grŵp, tylwyth, tref a chenedl. Yn y dimensiwn cymdeithasol hwn bydd ein gwerth personol yn lleihau neu'n cynyddu yn ôl agwedd pobl eraill tuag atom. Yn gymdeithasol, mae arnom angen parch a hyder i ymddiried mewn eraill a chymryd rhan ym mhrif ffrwd bywyd, fel ein bod ni'n teimlo'n fodlon â ni ein hunain. Angen sylfaenol dynol yw'r angen am ymddiriedaeth a pharch (fe soniwn am yr anghenion hyn yn ddiweddarach).

Gwerth

Mae dementia yn herio ein syniad o werth pawb. Mae'r cyflwr yn newid gweithrediad ac ymddygiad pobl yn eu bywyd bob dydd. Yn draddodiadol mae hyn wedi peri i gymdeithas ystyried pobl sydd â dementia yn llai na dynol. Mae'r syniad anffodus hwn wedi llywio'r modd yr ydym yn gofalu am rai sydd â dementia hyd at y presennol. Fodd bynnag, mae'r dull canolbwyntio ar yr unigolyn yn peri i ni weld ei werth cynhenid.

Mae i bawb werth unigryw a pharhaol na ellir ei gymryd oddi arnynt, faint bynnag y mae eu hanabledd yn amharu arnynt. Nid yw gwerth person yn dibynnu ar ei allu i gyfathrebu, i feddwl, i ddatrys problemau neu i gyfrannu'n ymarferol i fywyd cymdeithas. Nid yw chwaith yn dibynnu ar statws cymdeithasol. Mae pawb yn bwysig, beth bynnag yw ei statws neu ei sefyllfa ariannol.

Mae hyn yn iawn mewn egwyddor, efallai. Ond mae angen i mi deimlo'n hardd i fod yn fodlon â mi fy hun. Rhaid i mi gael canmoliaeth i wneud i mi deimlo'n dda amdanaf fy hun. Neu mae angen i mi gyfrannu gyda fy ngwaith neu lwyddo i deimlo'n dda amdanaf fy hun. Yn wir, rwy'n teimlo'n ddrwg amdanaf fy hun pan fydd eraill yn fy nhrin i neu eraill yn wael. Felly beth sydd a wnelo'r profiadau hyn a fy ngwerth damcaniaethol, er nad ydw i'n teimlo mewn gwirionedd fod gen i unrhyw werth? I ddeall hyn rhaid i ni ystyried personoldeb.

Personoldeb a gwerth

Personoldeb (*selfhood*) yw ein synnwyr penodol ni o'n hunaniaeth o ran pobl eraill a'r byd o'n cwmpas. Mae'n llywio ein ffordd o feddwl, ein teimladau a'n hymddygiad tuag at eraill. Disgrifiad y diweddar Athro Tom Kitwood o bersonoldeb oedd:

> y safle a'r statws a briodolir i fod dynol gan fodau dynol eraill, o fewn cyd-destun perthynas pobl â'i gilydd a bodolaeth gymdeithasol. Mae'n awgrymu cydnabyddiaeth, parch ac ymddiriedaeth. (Kitwood, 1997 tud. 8)

Rydym yn bersonau yn rhinwedd ein perthynas ag eraill. Rydym bob amser mewn perthynas ag eraill, boed â pherson arall neu grŵp o bobl neu mewn perthynas â Duw (mewn cyfundrefn grefyddol neu ysbrydol). Datblygwn fel person trwy fod mewn perthynas â phersonau eraill. Hynny sy'n ein gwneud ni yn bersonau unigryw. Ansawdd ein perthynas ag eraill sy'n ffurfio ein personoldeb. Mae ein personoldeb yn newid yn barhaus wrth ymateb i bobl, sefyllfaoedd a digwyddiadau.

Nid ydym wedi'n geni ag ymwybyddiaeth o bersonoldeb. Mae ein hymdeimlad o bersonoldeb yn datblygu ac yn newid drwy gydol ein hoes, gan fod ein hymwybyddiaeth o'n hunaniaeth yn cael ei lunio gan y modd y bydd pobl eraill yn ein trin ni, ein hymateb i sefyllfaoedd, ac ystyr y profiadau hynny i ni. Mae hyn yn arbennig o wir o ran y rhai y buom yn agos iawn atynt o'n plentyndod (fel arfer ein rhieni), sy'n ein helpu i ymddiried yn y byd o'n cwmpas, os yw eu cariad ar gael i ni'n gyson ac yn rhoi i ni ymdeimlad o ddiogelwch ac anwyldeb. Os oes rhai yn ein trin yn sarhaus wrth i ni ddod i oed, yn ein hanwybyddu, yn ein beirniadu'n afresymol neu yn ein cam-drin, bydd ein hymdeimlad o hunan-barch yn lleihau. Os yw'n digwydd yn ddigon aml, a thros gyfnod digon hir, byddwn yn hel meddyliau negyddol amdanom ni'n hunain. Byddwn yn dechrau teimlo'n 'neb'. Bydd ein hymdeimlad o bersonoldeb yn lleihau.

Ar y llaw arall, os yw pobl yn ein trin â pharch, yn gwrando arnom yn astud, yn cadarnhau ein teimladau, yn parchu ein safbwynt, yn ein cynnwys wrth wneud penderfyniadau ac yn gwneud ymdrech i'n hadnabod ac i'n deall, mae ein hunan-barch yn codi a theimlwn yn braf amdanom ein hunain. Bydd hyn wedyn yn achosi i'n personoldeb gynyddu.

Mae cam-drin neu drawma dros gyfnod hir yn gallu effeithio ar ymdeimlad rhywun o'i hun mewn modd parhaol. Mae rhywfaint o dystiolaeth sy'n awgrymu bod ein personoliaeth sylfaenol yn cael ei llunio yn ystod ein harddegau ac nad yw'n newid lawer wedi hynny. Ar y llaw arall, mae rhai'n awgrymu bod ymdeimlad o'r hunan wedi'i ffurfio erbyn i ni fod yn saith oed.

Gellir meddwl am hyn yn nhermau coeden. Mae mathau gwahanol o goed: derwen, ffawydden, sycamorwydden ac onnen. Mae pob un yn tyfu yn ôl ei natur. Yna bydd pridd, gwynt, glaw a heulwen yn ffurfio'r goeden mewn ffyrdd penodol. Mae'r pridd, yr heulwen, y gwynt a'r glaw yn debyg i'r amgylchedd cymdeithasol sydd o'n cwmpas wrth i ni dyfu a newid o hyd. Gydag amser mae'r ffactorau hyn yn ffurfio'r goeden a bydd yn tyfu i gyfeiriad arbennig, yn crebachu neu yn tyfu'n gryf, a'i amgylchedd yn penderfynu'r cyfan. Felly hefyd rydym ni yn datblygu ac yn dod dan ddylanwad y cysylltiadau cymdeithasol yr ydym wedi'n geni iddynt a'r profiadau rydym yn eu cael yn blant, yn bobl ifanc ac yn oedolion. Mae'r newidiadau annisgwyl yn y modd mae pobl yn ein trin yn effeithio ar ein personoldeb a ddaw gyda ni i bob sefyllfa, ac yn peri iddo leihau neu gynyddu, yn union fel y mae diffyg dŵr a maeth yn achosi i goeden grebachu a marw, ond bydd glaw a phridd da yn hybu ei thyfiant a bydd yn ffynnu.

Os oes nam gwybyddol ar rywun, mae'n haws peri i'w bersonoldeb leihau drwy'r modd y mae pobl eraill yn cyfathrebu ag e. Rydw i a chi'n gallu troi cefn ar ymddygiad a chyfathrebu annymunol. Nid yw'r sawl sydd â dementia yn gallu troi cefn ar hynny, na gwybod beth i'w ddweud, na bod yn hyderus yn gymdeithasol neu ddatrys y broblem sy'n ei wynebu. Gall hyn arwain at ei hunan-barch yn lleihau ac yntau'n gwneud llai o ymdrech i gymryd rhan mewn digwyddiadau cymdeithasol. Gall y sawl sydd â nam gwybyddol encilio, osgoi mynd i gyfarfodydd a pheidio â mynd i weithgareddau cymdeithasol. Os yw hyn yn digwydd yn aml bydd yn colli'r gallu i gynnal sgwrs, gan fod encilio cymdeithasol yn dwysáu'r dementia ac yn cyflymu'r dirywiad. Gwyddom drwy waith ymchwil fod cymdeithasu yn gysylltiedig â chynyddu maint yr ymennydd. Yn yr un modd, hefyd, gall encilio cymdeithasol arwain at leihau maint yr ymennydd wrth i'r dementia ddatblygu.

Gydag amser, bydd y person yn mynd yn fwyfwy isel ei ysbryd, yn colli hyder ac yn y diwedd yn datblygu iselder. Gwyddom hefyd fod gan y rhai sydd ag iselder fwy o broblemau meddygol, yn gweld y meddyg yn amlach, ac yn marw'n iau na'r rhai heb iselder.

Mae 'r modd y byddwn yn cyfathrebu â pherson sydd â nam gwybyddol yn effeithio arno'n gymdeithasol ac ar ei iechyd corfforol. Os yw'r amgylchedd cymdeithasol yn gadarnhaol a chynhwysol, yn rhoi cyfle i bawb gyfrannu at sgwrs mewn ffordd sy'n gydradd yn gymdeithasol, bydd y sawl â'r nam gwybyddol yn gweld ei fod yn ymlacio ac yn teimlo'i fod yn cael ei dderbyn. Wedyn, mae'n gallu defnyddio'i sgiliau a chadw ei le a'i statws fel rhan normal o'r teulu neu o unrhyw grŵp arall. Er gwaethaf y nam gwybyddol, gall cyfathrebu sensitif gadw'r person yn y grŵp cymdeithasol am gyfnod hirach a chynnal ei bersonoldeb a'i sgiliau wrth i'r cyflwr ddwysáu.

Gallwn arafu effeithiau dementia trwy gyfathrebu'n sensitif, yn ystyriol ac yn gynhwysol. Gallwn wella iechyd y rhai sydd yn ein gofal drwy gyfathrebu â nhw mewn modd sy'n canolbwyntio ar yr unigolyn.

Mae Sarah wedi cael ei hanwybyddu ar ôl iddi gerdded i mewn i'r ystafell fwyta yn gwisgo ei dillad isaf dros ei thracwisg. Mae'r merched eraill yn gwrthod siarad â hi ac yn ei hanwybyddu pan fydd hi'n dod i ymuno yn y gweithgareddau. Mae un neu ddwy wedi dweud wrthi yn uchel am fynd oddi yno. Mae Sarah wedi colli ei hyder ac yn dewis aros yn ei hystafell. Bydd yn eistedd yno am gyfnodau hir fel petai ar goll yn llwyr ac mae'n cysgu llawer mwy. Mae un o'r staff wedi gwneud ymdrech i fynd i'w hystafell bob bore i sgwrsio â hi ac i hel atgofion. Yn araf mae Sarah wedi dechrau dod o'i chragen ac ymddiried yn ei gofalwraig ac wedi cytuno i fynd gyda hi i siopa. Maent yn sicrhau ei bod wedi gwisgo'n addas ac mae'r ddwy'n mwynhau eu hunain. Mae Sarah yn berson gwahanol ar ôl y daith, yn edrych ar y staff ac yn gwenu pan fydd rhai yn mynd ati. Mae'r staff yn fwy gofalus ei bod hi wedi'i gwisgo'n iawn ac yn ei helpu i osgoi'r problemau cymdeithasol y mae gwisgo'n anaddas wedi'u creu.

Gwerth a lles

Rydym wedi bod yn trafod effaith gadarnhaol a negyddol cyfathrebu ar bersonoldeb y sawl rydym yn gofalu amdano. Ffordd arall o ddeall hyn yw mewn termau lles. Mae cyfathrebu'n effeithio ar les.

Lles yw'r boddhad a gawn pan deimlwn yn fodlon ein byd a'n bywyd. Mae arwyddion lles yn cynnwys agwedd bositif, pendantrwydd, y corff wedi ymlacio, hiwmor, cymryd y cam cyntaf i gymdeithasu, ymwneud â'r byd o'n hamgylch, bod yn barod ein cymwynas, bod yn annwyl, bod â hunan-barch a sensitifrwydd i deimladau ac anghenion emosiynol pobl eraill, a gallu'n mynegi ein hunain yn greadigol (Grŵp Dementia Bradford 2005).

Gwerth ac afles

Y gwrthwyneb i les yw afles. Fel rydym wedi sôn o'r blaen, pan fydd cyfathrebu'n negyddol a pherthynas ag eraill yn chwerw, mae'r effaith ar y sawl sydd â nam gwybyddol yn gallu bod yn fawr ac yn llawer mwy trawiadol na'r effaith negyddol arnoch chi a fi.

Afles yw'r profiad negyddol o fodolaeth, pobl eraill a'n byd. Mae arwyddion afles yn cynnwys hwyliau negyddol, iselder neu anobaith, galaru heb ei ddatrys dros golledion, dicter dwys, salwch neu boen corfforol, tensiwn corfforol, diymadferthedd, dihidrwydd neu encilio, cynnwrf, aflonyddwch, bod yn hawdd ein trin yn wael, gorbryder, ofn neu ddiflastod (Grŵp Dementia Bradford 2005).

Enghraifft

- Geiriau sy'n arwydd o les: Rydw i'n teimlo ...

  yn fodlon, yn hapus, bod rhywun yn fy ngharu, yn dda, yn cael fy ngwerthfawrogi, yn arbennig, yn agos, mewn hwyliau da.

- Geiriau sy'n arwydd o afles: Rydw i'n teimlo ...

  yn ddig, yn drist, yn rhwystredig, wedi gwylltio yn unig, yn ddigalon, yn ddiwerth, yn ddrwgdybus, yn isel, yn bryderus, yn ofidus, yn teimlo fy mod yn cael fy nefnyddio neu fy mradychu.

Mae cyfathrebu'n effeithiol â phobl sydd â dementia a namau gwybyddol eraill yn hanfodol i gynnal eu lles yn gorfforol, yn emosiynol, yn gymdeithasol ac yn ysbrydol. Nid yw defnyddio agweddau technegol cyfathrebu'n dda yn ddigon. Gwyddom yn iawn y dylem ddefnyddio brawddegau byrion neu oedi rhwng cyfarwyddiadau. Mae medru rhyngweithio â rhywun arall (defnyddio ein personoldeb ni) a chynnal ymwybyddiaeth o'i bersonoldeb yntau'n galw am fwy nag arbenigedd a gwybodaeth dechnegol. Mae'n gelfyddyd sy'n galw am ein cysylltiad a'n presenoldeb personol a'n hymwybyddiaeth o effeithiau emosiynol a seicolegol ein hymddygiad ar y person arall a chanlyniadau hynny ar ei les. Mae'n gofyn i ni ymarfer canolbwyntio ar les person arall gyda'r nod o gynnal personoldeb hwnnw neu ei hybu, beth bynnag yw ei gyflwr neu ba mor ddeniadol y mae i ni.

Ymarfer 2:1

Gwerth: personoldeb, lles ac afles

1. Pa werthoedd sy'n bwysig yn eich bywyd? I'ch helpu i ganolbwyntio ar y cwestiwn hwn, meddyliwch sut rydych yn gwario'ch arian a'ch amser. Bydd hyn yn dangos beth sydd o wir werth i chi.

2. Sut fyddwch chi'n gweld pobl â nam ar y corff neu'r meddwl?

3. Beth sy'n effeithio ar eich personoldeb chi?

4. Sut ddylech chi gael eich trin gan eraill er mwyn i chi deimlo'n fodlon amdanoch chi'ch hun?

5. Pa fath o ymddygiad gan eraill sy'n peri i chi deimlo'n wael amdanoch chi'ch hun?

6. Pa mor bwysig i chi yw canolbwyntio ar les person arall?

I'r unigolyn

Fel y nodwyd eisoes, mae cyfathrebu da yn gofyn am allu i addasu ein geiriau a'n hymddygiad tuag at yr un penodol sydd o'n blaen. Yn yr hen ddull o ofalu am rai sydd â dementia roedd y pwyslais ar syniad 'run fath i bawb. Gyda'r dull hwn byddai'r person ei hun yn diflannu a'r pwyslais i gyd yn mynd ar y clefyd neu ar broblemau. Roedd y dull sefydliadol hwn yn anwybyddu'r ffaith bod pawb yn unigryw.

Mae'r dull 'yr un peth i bawb' hwn o ddelio â phobl â dementia yn golygu eich bod yn defnyddio'r un rheolau a'r un drefn gyda phawb, heb ddim hyblygrwydd. Mae'r dull hwn yn syml ac nid yw'n gofyn am lawer o feddwl na phenderfyniadau ac mae'n haws i rai pobl ei ddefnyddio. Ond mae'n arwain yn aml at leihau personoldeb, lefelau is o les a lefelau uwch o afles. Mae'n niweidiol, yn wenwynig. Dyna'r rheswm pam mae rhai pobl yn ymateb yn ymosodol.

Roedd Johanna yn wraig dawel a phrysur, yn helpu pobl eraill gyda'i gwaith gwirfoddol. Roedd bob amser wedi trin eraill â pharch a chwrteisi ac yn gwerthfawrogi'r modd roedd pobl yn ei thrin hi. Roedd yn hoffi cael ei hadnabod a'i pharchu pan fyddai'n ymweld â'r ganolfan siopa yn ei hardal. Pan aeth i gartref gofal oherwydd dementia, dechreuodd ymateb yn ffyrnig pan oedd y gofalwyr yn ei rhoi yn y gawod. Roeddent yn ei galw yn 'Jo' a 'cariad' ac nid oedd yn cael dewis pryd i fynd i'r gawod neu i'r toiled. Ceisiai ddyrnu'r gofalwyr gan weiddi 'gadewch lonydd i mi'. Yr hyn oedd yn ei gwylltio oedd y diffyg parch, yn ei barn hi, yn y modd roedd y gofalwyr yn ei thrin.

Mae gwewyr Johanna yn enghraifft dda o'r angen i ofalwyr addasu eu dulliau o drin pawb fel unigolion gan roi sylw i'w hanghenion. Rhaid i ni addasu ein hagwedd i fod yn hyblyg wrth ymateb i'r un sydd yn ein gofal, yn hytrach na'i drin fel 'gwrthrych', fel pe na bai'n bod. Os yw ffrind neu gyd-weithiwr wedi dweud rhywbeth mewn ffordd arbennig neu wedi defnyddio strategaeth benodol i ddatrys problem, nid yw hynny'n golygu bod hyn yn addas i'r person rydych *chi* yn gofalu amdano. Rhaid i chi addasu eich dull i'r un sydd o'ch blaen chi.

Dychmygwch petaech chi'n cael eich trin fel hyn. Rydych yn mynd at y deintydd ac mae'n dechrau llenwi dant iach a hynny oherwydd mai felly y bu'n trin yr un o'ch blaen. Mi fyddech yn siŵr o gredu bod y deintydd wedi colli ei bwyll a byddech allan o'r gadair ar unwaith! Yr hyn sy'n drist yn yr enghraifft hon yw na fydd yr un sydd â dementia rydych chi'n gofalu amdano yn gallu mynegi ei angen na'i ddymuniad. Weithiau nid yw'n gallu mynegi ei fod yn anfodlon gyda rhywbeth. Ar y pryd, chi yw'r unig un sydd ganddo, felly mae angen i'ch gweithredoedd, eich geiriau a'ch agwedd ddangos parch a charedigrwydd sy'n addas i'r un sydd yn eich gofal.

Sut mae gwneud hynny? Yn gyntaf, dylem ddod i wybod am stori bywyd y person. Os ydych yn gofalu am eich priod ac yn ei adnabod yn dda, mae hynny o fantais (eto gall hyn olygu eich bod yn orgyfarwydd a hwyrach yn rhwystr i berthynas wrthrychol!).

Os nad oes gennych berthynas bersonol â'r person, bydd angen dod i'w adnabod o'r dechrau'n deg. Gobeithio mai polisi'r gweithle fydd cofnodi manylion stori bywyd y person a gafwyd oddi gan aelodau o'r teulu neu ei ffrindiau (neu gan yr un sydd â dementia ei hun). Darllenwch y stori hon a dewch yn gyfarwydd â'i hoffterau a'i gas bethau, ei duedd emosiynol, hwyliau a phatrymau cyfathrebu'r person yn y gorffennol. Rhowch sylw i unrhyw beth a fyddai'n dweud wrthych, 'hwyrach y byddai'n teimlo boddhad pe byddwn *i* yn gwneud hyn ... neu pe byddai *ef/hi'n* gwneud hyn ...'

Os ydych yn methu cael fawr o wybodaeth am y person gan eraill (yn anffodus dyna yw'r duedd yn ein cymdeithas fodern), bydd angen i chi lunio'ch proffil chi'ch hun o anghenion, dymuniadau, hwyliau a phatrwm cyfathrebu, a hynny o'ch argraffiadau chi (ac argraffiadau eich cyd-weithwyr). Nodwch yr holl wybodaeth y medrwch ei chasglu o ddigwyddiadau pob dydd, fel sut mae'r person yn cymryd rhan mewn gweithgareddau, ei hoff fwyd, yr hanesion y bydd yn eu hadrodd, yn enwedig pan fydd hi'n amser noswylio. Bob dydd byddwch yn casglu tameidiau bach o wybodaeth. Fe allech ystyried bod y rhain yn ddibwys. Ond fe allant fod yn sail i ddelweddau a fydd yn galluogi'r rhai sy'n gofalu amdano i gael ymdeimlad ohono fel y mae ac fel yr oedd. Mae'r holl wybodaeth yn bwysig. Peidiwch â mynd adre ar ddiwedd diwrnod o waith heb ei gofnodi. Cofnodwch bopeth yn fanwl, er mwyn i eraill fanteisio ar y wybodaeth hefyd.

Y ffordd orau o ysgrifennu am fywyd y person yw ar ffurf 'stori'. Er y byddwch yn dechrau gyda rhestr o wybodaeth wrth i chi ei chasglu, gwnewch stori o'r wybodaeth rywbryd. Gall pob darn o wybodaeth ffurfio brawddeg sy'n dweud rhywbeth am y person.

Enghraifft
___

[Ar ffurf rhestr]
- yn hoffi tarten afalau
- yn casáu uwd

[Ar ffurf stori]

Mae Tom yn hoffi tarten afalau oherwydd roedd ei fam yn gwneud tarten i ginio ar ddydd Sul pan oedd yn blentyn. Mae pob tarten afalau yn ei atgoffa o'i blentyndod.

Mae'n gas gan Tom uwd am iddo'i gael bob bore i frecwast yn nhŷ ei fam-gu lle bu'n aros am flynyddoedd pan oedd ei fam yn wael.
___

Drwy gynnwys arwyddocâd yr hoffi/casáu, sef yr hyn y mae'n ei olygu i berson, gallwn greu cyfle i hybu ei les drwy ei atgoffa yn gynnil o darten afalau ei fam, a dechrau stori drwy ddweud, 'Tom, wyt ti'n cofio dydd Sul pan oeddet ti'n fachgen bach? Pan oeddet ti'n hoffi tarten afalau dy fam?' Neu gallech ddweud, heb ofyn cwestiwn: 'Tom, roedd dy fam yn gwneud tarten afalau bob dydd Sul.' Bydd yr atgofion yn rhoi boddhad i'r person ac yn ei helpu i deimlo'n ddiogel a heddychlon oherwydd i'r teimlad fod yn gyfarwydd, rywsut. Gall fod mor syml â hynny.

Mae fformat stori yn fwy urddasol ac yn dangos parch yn ogystal â bod yn haws i'w hadrodd ac ennyn diddordeb. Rydym yn hoffi adrodd storïau a gwrando arnynt ac os gallwch adrodd stori am berson, fe welwch y bydd pobl eraill hefyd yn ei darllen ac yn prosesu'r wybodaeth yn haws nag y byddent o restr faith o ffeithiau.

Pa wybodaeth y dylid ei chynnwys yn eich stori bywyd chi? Mae dewis o sawl model ar gael ac nid oes yr un ffordd yn fwy cywir na'r llall. Gellir cael enghreifftiau ar y we o ddefnyddio storïau bywyd yn y gwaith o ofalu am yr henoed a hynny mewn fformatau syml a dealladwy.

Os ydych yn chwilio am fodel sy'n canolbwyntio ar greu stori dda y gellir ei defnyddio i hybu dull sy'n canolbwyntio ar y person, efallai yr hoffech ddewis o'r rhestr o opsiynau ar y dudalen nesaf. Cofiwch, rhaid dewis y penawdau sy'n berthnasol i'r sawl sydd yn eich gofal. Ceisiwch osgoi'r fagl o ddefnyddio'r dull 'run fath i bawb! Efallai y bydd defnyddio'r holl benawdau yn ormod i rai. Dewiswch yr hyn sy'n addas ar gyfer y sawl sydd gyda chi. Efallai y bydd peth o'r wybodaeth hon gennych eisoes o ffynonellau eraill, felly peidiwch â chynnwys cwestiynau diangen.

Cofiwch gofnodi teimladau'r person wrth iddo ateb y cwestiynau. Bydd hyn yn rhoi syniad i chi a yw eich cwestiynau'n debygol o greu teimlad o les neu afles petaech chi'n sôn am hyn eto. Er enghraifft, roedd cofio am salwch ei fam yn gwneud Tom yn anghysurus. Trwy ddefnyddio'r geiriau hyn, rydym yn creu darlun neu fap o gof emosiynol person.

Amlinellu stori bywyd

1. Geni
   a. Man geni.
   b. Dyddiad geni.
   c. Amgylchiadau'r geni.
   ch. Storïau ynglŷn â'r geni.
   d. Arwyddocâd eich enw.

2. Gwreiddiau'r teulu
   a. Rhieni
      i. Pwy yw'ch rhieni?
      ii. Dyddiadau geni, priodi, marw.
      iii. Man geni, priodi, marw.
      iv. Achos eu marwolaeth?
      v. Pa un roeddech chi'n agos/nad oeddech chi'n agos ato?
         I ba un rydych chi'n fwyaf tebyg?
         Beth sy'n eich gwneud yn debyg iddo/iddi?
   b. Brodyr a chwiorydd
      i. Pwy oeddent yn nhrefn eu geni?
      ii. A oes un ohonynt wedi marw?
   c. Pa fath o fagwraeth gawsoch chi fel teulu? Cartref hapus? Cartref trist? Cartref llawn tensiwn?

ch. Pa storïau mae eich brodyr/chwiorydd yn eu hadrodd am fywyd y cartref yn ystod eich plentyndod?

3. **Lleoliadau**

a. Ble fuoch chi'n byw a phryd? Pam oeddech chi'n byw yno?

b. A gawsoch chi eich magu ar fferm? Ble? Pa fath o fferm?

c. Pa leoedd oedd orau gennych? Pam oeddech chi'n hoffi'r lleoedd hynny?

ch. Pa leoedd oedd yn gas gennych? Pam oeddech chi'n eu casáu?

d. Disgrifiwch rai o'r lleoedd hynny'n fanwl os yw hynny'n bosib.

4. **Afiechydon plentyndod**

a. Pa afiechydon allwch chi eu cofio o'ch plentyndod?

b. Pa afiechydon gafodd eich perthnasau yn ystod eu plentyndod?

c. A fu eich rhieni yn wael ar unrhyw adeg?

5. **Gwaith eich rhieni**

a. Beth oedd gwaith oedd eich mam a/neu'ch tad?

b. A fu eich rhieni'n absennol am gyfnodau oherwydd eu gwaith? Sut oeddech chi'n dygymod â hyn?

c. A oeddent yn trafod eu gwaith gyda chi?

ch. A oedd disgwyl i chi weithio gyda nhw yn ystod eich plentyndod? Beth oedd natur y gwaith? A oedd disgwyl i'ch brodyr/chwiorydd helpu hefyd?

6. **Disgyblaeth yn y cartref**

  a. Sut oedd eich rhieni'n eich disgyblu chi a'ch brodyr a'ch chwiorydd?

  b. Pa un o'ch rhieni oedd yn eich disgyblu amlaf?

  c. Beth fyddai'n cael ei ddweud wrthych i'ch disgyblu?

  ch. Beth oedd eich teimladau ar y pryd?

  d. Sut ydych chi'n teimlo erbyn hyn am eu dull o'ch disgyblu?

7. **Ysgol**

  a. Ble'r aethoch chi i'r ysgol?

  b. Faint oedd eich oed yn dechrau'r ysgol?

  c. Pa mor bell oedd yr ysgol o'ch cartref? (Rhowch fanylion pob ysgol os oedd mwy nag un).

  ch. Beth oeddech chi'n ei hoffi am yr ysgol? Beth nad oeddech yn ei hoffi?

  d. Beth oedd eich pwnc gorau?

  dd. A oeddech chi'n hoffi chwaraeon?

  e. A oeddech chi'n aelod o dîm?

  f. Pa athrawon ydych chi'n eu cofio? Beth sy'n eu gwneud yn gofiadwy?

  ff. Pwy oedd eich ffrindiau? A ydynt wedi parhau'n ffrindiau dros y blynyddoedd?

  g. A fuoch yn dal unrhyw swyddi yn yr ysgol, fel swyddog/prif swyddog/capten tîm/aelod o gyngor yr ysgol? (Rhestrwch unrhyw swyddi eraill.)

  ng. Pa brosiectau ysgol sy'n gofiadwy?

  h. Faint oedd eich oed chi'n gadael yr ysgol? Pam adawsoch chi?

8. Astudiaethau pellach

a. Beth ydych chi wedi'i astudio'n bellach ac ym mhle?

b. Ai chi a ddewisodd y pwnc neu rywun arall?

c. Pa bynciau oeddech chi'n eu mwynhau orau?

ch. Pwy oedd eich ffrindiau yn y cyfnod hwn?

d. Sut oeddech chi'n cymdeithasu?

9. Amser hamdden

a. Sut oeddech chi'n ymlacio fel teulu?

b. A fuoch chi'n cymryd rhan mewn chwaraeon yn yr ysgol neu ar benwythnosau? Pa chwaraeon?

c. Ym mha chwaraeon oeddech chi orau?

ch. Beth oedd eich llwyddiant mwyaf ym myd chwaraeon?

d. Beth yw eich atgofion mwyaf cofiadwy am chwaraeon?

10. Gyrru car

a. Pa bryd gawsoch chi eich trwydded yrru? Ble? Beth oedd yr amgylchiadau?

b. Beth oedd eich car cyntaf?

c. Pa geir ydych chi wedi'u cael ers hynny? Pa rai oeddech chi'n eu hoffi fwyaf?

ch. A ydych chi wedi cael unrhyw ddamweiniau wrth yrru? A gawsoch chi eich anafu?

11. Gwaith

a. Faint oedd eich oed chi'n dechrau'ch swydd gyntaf?

b. A fuoch chi'n gweithio yn ystod gwyliau? Pa fath o swyddi fuoch chi'n eu gwneud? A oeddech chi'n eu hoffi?

12. **Amser rhyfel – y lluoedd arfog**
    a. A fuoch chi mewn rhyfel erioed? Pa ryfel?
    b. A fuoch chi'n gwasanaethu yn y lluoedd arfog? Pa wlad fuoch chi'n ei gwasanaethu? (Os mai naddo yw'r ateb i'r cwestiwn cyntaf, ewch ymlaen at gwestiwn 13.)
    c. I ba gatrawd roeddech chi'n perthyn? Beth oedd eich rheng uchaf?
    ch. Ym mha feysydd y gad y buoch chi'n ymladd?
    d. Soniwch am rai o brofiadau'r rhyfel sydd wedi effeithio ar eich bywyd ers hynny.
    dd. Sut brofiad oedd dod adref?
    e. Sut mae'r rhyfel wedi effeithio ar eich bywyd, yn eich barn chi?
    f. A ydych chi wedi cael hunllefau, ôl-fflachiau (*flashbacks*) neu anhawster sôn am y rhyfel? A yw hi'n well gennych osgoi unrhyw sôn am ryfel?

13. **Adeg rhyfel – i'r rhai na fuont yn gwasanaethu yn y lluoedd arfog**
    a. Beth fuoch chi'n ei wneud yn ystod y rhyfel?
    b. Pa fath o fywyd gawsoch chi yn y cyfnod hwn?
    c. Beth oedd fwyaf anodd am adeg rhyfel?
    ch. A oeddech chi'n adnabod unrhyw un gafodd ei ladd yn y rhyfel?
    d. Sut oedd hi ar ôl y rhyfel pan ddaeth y milwyr adref?
    dd. A ydych chi wedi cael hunllefau, ôl-fflachiau neu anhawster sôn am y rhyfel? A yw hi'n well gennych osgoi unrhyw sôn am ryfel?
    e. A ydych chi wedi cadw cysylltiad â chyfeillion o gyfnod y rhyfel?

14. Ffilmiau

a. A oeddech chi'n mynd i'r sinema pan oeddech chi'n ifanc?

b. Gyda phwy?

c. Pa ffilmiau welsoch chi?

ch. Pa eitemau o newyddion rydych chi'n eu cofio o'r dyddiau hynny?

d. Pa ffilmiau mwy diweddar sy'n aros yn eich cof?

dd. Pa sêr o fyd y ffilmiau oeddech chi'n eu hoffi? Dyn? Merch?

e. Pa fath o ffilmiau ydych chi'n eu hoffi fwyaf?

15. Caneuon a cherddoriaeth

a. A ydych chi'n hoffi cerddoriaeth? Pa fath? Jazz, pop, canu gwlad, roc, caneuon rhyfel, clasurol?

b. A oes gennych chi hoff gyfansoddwr?

c. A ydych chi'n hoffi gwrando ar gerddoriaeth drwy'r amser? Os nad ydych chi, pryd fyddwch chi'n mwynhau gwrando ar gerddoriaeth?

ch. Pa fath o gerddoriaeth fyddwch chi'n hoffi gwrando arni i ymlacio?

d. A ydych chi'n chwarae unrhyw offeryn? Neu wedi bod yn chwarae?

dd. Os ydych chi, pwy fu'n eich dysgu?

e. A oedd cerddoriaeth yn bwysig yn eich teulu chi?

16. Coginio

a. A ydych chi'n gallu coginio?

b. Beth fedrwch chi goginio orau?

c. Beth yw eich hoff fwyd/rysáit?

ch. Pwy a'ch dysgodd chi i goginio?

d. A ddysgoch chi i goginio o reidrwydd neu o bleser?

dd. Sut le oedd yng nghegin eich mam pan oeddech chi'n blentyn? Oeddech chi'n cael llyfu'r llwy?

e. A ydych chi'n hoffi coginio nawr?

17. Peiriannau

a. Pa beiriannau oedd yn eich cartref pan oeddech chi'n ifanc?

18. Clybiau/grwpiau

a. I ba grwpiau y buoch chi'n perthyn yn ystod eich oes?

b. Beth oeddech chi'n ei fwynhau fwyaf yn y grwpiau hyn?

19. Teithio/gwyliau

a. A ydych chi wedi teithio dramor? I ble? Pa wledydd oeddech chi'n eu hoffi fwyaf?

b. Beth oeddech chi'n ei wneud ar eich gwyliau tramor?

c. Gyda phwy fuoch chi'n teithio?

ch. I ble fyddech chi'n mynd fel teulu ar eich gwyliau?

d. Beth oeddech chi'n ei wneud?

20. Hobïau

a. Sut fyddech chi'n treulio eich amser hamdden?

b. Beth oeddech chi'n ei fwynhau fwyaf am y gweithgaredd hwn?

Hel atgofion

Atgof yw'r ffordd o ddal eich gafael ar y pethau rydych yn ei hoffi, y pethau sy'n eich gwneud chi, y pethau nad ydych am eu colli byth.

O'r sioe deledu The Wonder Years

Atgof yw'r hyn sy'n weddill pan fydd rhywbeth yn digwydd ond byth yn peidio'n llwyr â digwydd.

Edward de Bono

Atgofion yw'n modd o gadw mewn cysylltiad â'n gorffennol a'n dyfodol yn y presennol. Safwn ar linell amser sy'n ymestyn i'n gorffennol ac i'n dyfodol i'r cyfeiriad arall. Mae gennym ymdeimlad o'n hunaniaeth wrth gofio'r holl ddigwyddiadau, pobl a phrofiadau a gyfrannodd at ein gwneud yr hyn ydym. Rydym yn cadarnhau'r ymdeimlad hwn o hunaniaeth drwy gofio. Mae hel atgofion yn ffordd effeithiol o helpu pobl sy'n dechrau mynd yn anghofus i gadw cysylltiad â'u hunaniaeth, eu hanes, eu hunan.

Gall hyn ddigwydd yn ein cysylltiadau â'n gilydd bob dydd, ond i ni fod yn ddigon sensitif i gofio'r person cyfan wrth ddelio ag ef neu hi ac nid bodloni'n unig ar gwblhau'r dasg sydd o'n blaen. Rhaid sicrhau ein bod yn rhoi'r flaenoriaeth bob amser i'r unigolyn. Mae hyn yn cynnwys cymaint ag y gallwn wybod amdano.

Fel gofalwyr ni sy'n gofalu am stori ei fywyd. Yn gymaint ag y mae ef, neu rywun arall, wedi'i rannu â ni, mae ei fywyd bellach yn rhan o'n hatgofion ni nawr. Mae'n rhan ohonom ac mae ei fywyd oddi mewn i ni, yn ein meddyliau a'n hatgofion ni amdano.

Ymarfer 2.2

I'r unigolyn

1. Beth sy'n eich gwneud chi'n berson unigryw?

2. Pa ffeithiau pwysig ddylai pobl eraill eu gwybod amdanoch os ydynt yn mynd i'ch trin chi â pharch?

3. Ysgrifennwch eich trefn yn y bore fel y byddai'n bosib i rywun arall nad yw'n eich adnabod gadw at yr un drefn pe bai angen, mewn ffordd sy'n gyfforddus i chi.

4. Sut fyddech chi'n ysgrifennu stori'r person rydych yn gofalu amdano/amdani? Beth am ei dechrau?

Safbwynt

Mae'r dull o ofalu sy'n canolbwyntio ar yr unigolyn yn golygu cymryd safbwynt yr un rydym yn cyfathrebu ag e – hynny yw, cyfathrebu ar ei delerau yntau yn ôl ei olwg yntau ar y byd, nid ar ein telerau ni nac o'n safbwynt ni. Os oes nam gwybyddol arno, bydd yn anoddach gweld pethau o'i safbwynt. Ond nid yw hyn yn llai pwysig. Yn wir mae'n llawer *pwysicach*, gan na fydd y person yn gallu cyfleu ei safbwynt heb i ni ei ddeall a'i helpu.

Yn draddodiadol byddai pobl yn tybio nad oedd gan rywun â dementia unrhyw fath o safbwynt ar y byd, neu os oedd ganddo, tybid ei fod yn methu ei gyfleu ac felly nad oedd hi'n bosib ei ddeall. Felly doeddem ni ddim yn trafferthu gofyn iddo am ei safbwynt. Byddem yn gweithredu fel pe bai heb feddwl na deall nac emosiwn.

Erbyn hyn mae gofal cyfoes i rai sydd â dementia yn cydnabod bod ganddynt safbwynt deinamig a bywiog ar y byd. Mae ganddynt farn a theimladau am y bobl o'u cwmpas. Maent yn hoffi'r hyn a wnawn, sut rydym yn gweithredu, yr hyn a ddywedwn, neu ddim yn eu hoffi. Os gwrandewch ar bobl mewn lolfa cartref gofal ar ôl i aelodau o'r staff fynd o'r ystafell, byddwch yn eu clywed yn lleisio'u barn amdanynt a'r gweithgareddau y gofynnir iddynt gymryd rhan ynddynt. 'Dydw i ddim eisiau gwau.' 'Mae honna'n fos.' 'Mae honna'n neis.' Neu fel y clywais gan ffrind, ar ôl i'r nyrsys adael yr ystafell bu chwerthin mawr ymhlith y trigolion pan ddywedodd un ohonynt, 'On'd oes ganddyn nhw i gyd benolau mawr?!'

Yr hyn y mae llawer yn methu sylweddoli yw bod ein hymddygiad yn ffordd o gyfathrebu, mewn gwirionedd. Felly, mae pobl sydd â dementia yn mynegi eu safbwynt trwy eu gweithredoedd. Mae ymddygiad y sawl sydd â dementia yn dweud wrthym beth sydd ei angen arno, beth mae'n ei hoffi, beth nad yw'n ei hoffi neu nad oes eisiau arno. Dyma yw iaith ymddygiad, boed yn eiriol neu'n ddieiriau. (Diolch i Virginia Moore, Rheolwr Lles Cwsmeriaid Grŵp Gofal Brightwater a ddaeth â Mapio Gofal Dementia i Awstralia, am y disgrifiad addas hwn o ystyr gweithredoedd pobl sy'n byw â dementia.) Os gallwn ddeall a defnyddio'r iaith hon byddwn yn gallu ymateb yn briodol i ymgais rhywun i gyfathrebu â ni.

Sut felly y dylem gyfathrebu os ydym yn mynd i gymryd y safbwynt hwn o ddifrif? Rhaid ein holi ein hunain yr hyn a gredwn am y safbwynt. A ydym ni o ddifrif yn credu bod gan bobl sydd â dementia safbwynt am y byd, am bobl eraill, ac amdanynt eu hunain? Os ydym, oes angen i ni newid ein ffordd o gyfathrebu â nhw?

Y man cychwyn yw gwrando. Gwrando o ddifrif. Ac nid ar eiriau'n unig. Gwrando am yr ystyr, fel y byddwn yn gwrando ar bobl heb ddementia. Rhaid gwrando am y negeseuon emosiynol ac ar iaith y corff. A yw'r person yn ceisio mynegi rhyw angen? Beth mae'n ei ddweud wrthym?

Nodwyd y pum angen seicolegol canlynol gan yr Athro Tom Kitwood a Kathleen Bredin ar ddiwedd yr 1980au (Kitwood a Bredin 1992):

1. *Cysur:* Gellir teimlo'r angen am gysur yn gorfforol, yn emosiynol neu'n gymdeithasol. Cysur yw'r profiad dynol o foddhau angen a hynny'n rhoi pleser neu ryddhad rhag poen a gwewyr. Gall tylino'r corff fod yn gysurlon. Felly hefyd bryd o fwyd blasus, yn enwedig os yw'n ein hatgoffa o bryd gyda theulu neu ffrindiau. Gall cofio digwyddiadau pleserus fod yn gysur, gan fod hynny yn ein cysylltu â stori ein bywyd a phrofiadau ystyrlon sy'n cadarnhau ein hunaniaeth.

2. *Ymlyniad:* Mae'r angen i berthyn i bobl, i bethau ac i leoedd eraill yn brofiad dynol sylfaenol sy'n dechrau yn y groth. Mae'n ymwneud â'n hangen am fwyd, diogelwch, hoffter ac anwylder, a chaiff ei gynnal yn ein perthynas ag eraill drwy gydol ein hoes. (Fe drafodwn hyn yn fwy manwl yn yr adran nesaf ar y dimensiwn cymdeithasol.)

3. *Hunaniaeth:* Mae'n bwysig i ni wybod pwy ydym, i fod â hunaniaeth. Pwy ydych chi? Sut ydych chi'n gwybod pwy ydych chi? Yr ateb i'r cwestiynau hyn yw ein hymdeimlad o hunaniaeth bersonol sy'n tyfu gyda ni wrth i ni aeddfedu a chasglu profiadau bywyd, atgofion a chynlluniau ar gyfer y dyfodol.

Rydym yn ein diffinio'n hunain, ein hunanddelwedd a'n hunan-barch drwy fod mewn perthynas â'r byd ffisegol, â phobl eraill ac â ni ein hunain. Os yw pobl eraill yn ein trin yn dda, maent yn cryfhau ein hunan-barch, ond os ydynt yn ein trin yn wael, maent yn niweidio ein hunan-barch. Ein perthynas ag eraill sy'n cryfhau neu'n niweidio ein hunaniaeth.

4. *Cynhwysiant:* Cynhwysiant yw'n hangen i fod yn rhan o'r grŵp rydym yn perthyn iddo. Meddyliwch am y grwpiau rydych chi'n perthyn iddynt. Maent yn niferus ac yn amrywiol ac yn cynnwys teulu, y gymdogaeth, yr ysgol, y gweithle neu glybiau. Efallai eich bod yn rhan o grwpiau cyfeillgarwch y mae eu haelodau'n newid drwy'r amser.

Mae angen arnom ni i gael ein cydnabod a'n cynnwys mewn bywyd cymdeithasol, ac i rywun arall werthfawrogi ein personoldeb. Mae cael ein hanwybyddu'n niweidio ein hymdeimlad o'n hunan a'n personoldeb. Ond dyma sy'n digwydd i bobl sy'n byw gyda dementia, nid yn fwriadol er mwyn creu niwed, ond dim ond oherwydd bod sgyrsiau'n symud yn rhy gyflym.

Gwrandewch ar eich sgyrsiau a sylwch mor gyflym maent yn symud ac yn newid cyfeiriad a phwnc. Rhaid wrth gof tymor byr da i fedru cadw mewn cysylltiad â'r pynciau trafod ac â llif y syniadau. Mae'r sawl sydd â dementia yn methu cyfrannu at sgwrs mor gyflym nac mor rhugl â ni ac felly caiff ei adael ar ôl. Fel sy'n digwydd yn aml mewn partïon, mae'r sgwrs yn llifo ac rydym yn sefyll yno, yn dawel ac wedi'n heithrio, nes y daw'r foment pan allwn ailymuno yn y sgwrs. I'r un sydd â dementia mae'n anodd cofio llinyn y sgwrs. Yn sydyn iawn bydd yn methu cymdeithasu ac yna bydd ar ei ben ei hun. Mae hyn yn niweidio'i ymdeimlad o gynhwysiant, ei ymdeimlad o hunaniaeth a'i hyder.

5. *Cael rhywbeth i'w wneud*: Rhaid i ni i gyd wneud rhywbeth yn ein bywyd. Mae eistedd yn segur am ychydig ddyddiau yn braf, ond buan iawn yr awn i deimlo'n ddiflas ac aflonydd. Os bydd hyn yn parhau gallwn fynd yn isel ein hysbryd.

Mae cael rhywbeth i'w wneud yn bwysig i'n personoldeb. Rhaid i ni fod yn effeithiol ac yn gynhyrchiol yn y byd o'n cwmpas. Gwnawn hynny drwy greu, adeiladu, caru, canu, meddwl a chwerthin. Mewn sawl ffordd rydym yn ein cadw'n hunain yn brysur, a thrwy hynny rydym mewn *cysylltiad* â'r byd o'n hamgylch. Rydym yn ymwneud â thasgau a phobl ac yn datblygu perthynas ag eraill. Mae'r ymwneud hwn yn cyfoethogi ein personoldeb.

Efallai fod y sawl sydd â dementia yn methu parhau i gymryd rhan mewn gweithgaredd oherwydd colli cof neu fethu canolbwyntio, er bod ganddo ddiddordeb a'i fod wedi'i ysgogi. Gall ysgogi fod yn broblem weithiau, hyd yn oed. Mae rhai pobl sydd â dementia yn methu'u hysgogi eu hunain, efallai oherwydd diffyg yn llabedau blaen yr ymennydd lle mae ein gallu i ddechrau gweithgaredd a'i atal wedi'i leoli. Nid yw'r ymennydd yn rhoi 'cychwyn' i berson ac felly mae'n eistedd, oni bai ein bod ni fel gofalwyr yn ei ysgogi i wneud rhywbeth.

Gwelir hyn yn fwyaf amlwg adeg prydau bwyd, pan fydd person yn eistedd gyda phryd o'i flaen ond heb estyn am gyllell a fforc i ddechrau bwyta oni bai bod rhywun arall yn ei gymell i wneud hynny.

Ymarfer 2:3

Safbwynt

---

1. Beth yw'r pum angen seicolegol craidd a ble maent i'w gweld yn eich bywyd chi? Sut ydych chi'n ymateb pan nad yw'r anghenion hyn yn cael eu diwallu?

2. Beth sy'n gwneud eich safbwynt chi yn unigryw ac yn wahanol i'r rhai o'ch cwmpas?

3. Beth sy'n rhoi cysur i chi, yn eich gwneud yn gyfforddus?

4. Â beth neu â phwy rydych chi'n gysylltiedig?

Cymdeithasol

Yr elfen olaf yw dimensiwn cymdeithasol y sawl sydd â dementia. Yn draddodiadol tybid nad oedd angen rhyngweithio cymdeithasol ar y person â dementia gan ei fod i raddau helaeth yn methu cymryd rhan ynddo na'i fwynhau.

Mewn astudiaethau modern gwelwyd nad yw hyn yn wir. Mae darparu cyfleoedd i bobl â dementia gymdeithasu wedi dangos eu bod yn gallu cymdeithasu ymhell wedi i'w hafiechyd ddatblygu, a hyd yn oed ar ôl i'w lleferydd ddechrau dirywio. Ond er gwaethaf y dirywiad yn eu gallu i siarad, mae'r angen i ymwneud â phobl eraill yn gymdeithasol yn parhau. Mae'r awydd i gyfathrebu, i fod mewn perthynas ag eraill, i fod yn gyfeillion, i berthyn ac i barhau fel yr oedd weithiau mor gryf ag y bu erioed. O bosib mae'n *bwysicach* i berson sydd wedi colli'r gallu i siarad gan ei fod yn dibynnu ar ddirnadaeth eraill o'i ymdrechion dieiriau i gyfleu ei anghenion. Mae ein natur gymdeithasol a'n hangen cynhenid am gael perthynas yn parhau hyd yn oed wrth i allu gwybyddol ddirywio.

Mae rhai'n awgrymu ein bod yn dychwelyd at ddull a ddefnyddid cyn i ni allu siarad er mwyn cysylltu â'r byd drwy deimladau, pan fyddwn yn methu defnyddio geiriau. Efallai fod hyn yn wir. Mae'n golygu bod cysylltiadau emosiynol a ffurfiwyd yn ein cyfnod cyn inni allu siarad gymaint yn bwysicach i'n dealltwriaeth o gymhellion a safbwynt y person â dementia a'i angen am i ni ddarparu ymlyniad, cwlwm agosrwydd a phresenoldeb dibynadwy. Yn y bôn, rydym yn ffigurau ymlyniad iddo. Rydym yn cymryd lle'r ffigurau ymlyniad cynnar a oedd yn ei fwydo, ei garu a'i gadw'n ddiogel yn ei gyfnod cyn iddo allu siarad. Efallai iddo ef y bydd ein harwyddocâd emosiynol yn ymestyn ymhell y tu hwnt i'r hyn a wnawn iddo mewn gwirionedd. Efallai fod yr arwyddocâd emosiynol yn fwy cysylltiedig ag ystyr profiadau'r gorffennol o ymlyniad.

Mewn gofal preswyl neu yn eich cartref, mae angen cysylltiadau cymdeithasol ar y sawl sydd â dementia a'r rheini'n gyson â'r math o berthynas gymdeithasol a oedd ganddo gynt. Fel y cawn weld ym Mhennod 3, bydd effeithiau newidiol y dementia yn effeithio ar allu'r person i gyfathrebu. Efallai y bydd yn cael anhawster canolbwyntio, cofio neu ddod o hyd i'r geiriau iawn. Fodd bynnag, bydd yr *awydd* i ryngweithio mor gryf ag erioed. Fel bodau dynol cawn ein geni i berthynas â 'mam' (yn fam fiolegol ai peidio, a bydd rhai wedi'u magu'n fabi bach gan eu tad). Wedyn bydd rhwydwaith o gysylltiadau yn ein cynnal a fydd yn darparu maeth, cariad a diogelwch. Mae hyn yn datblygu'r reddf o ymlyniad ac yn rhoi inni sail ddiogel i ni fedru symud allan i fyd o berthynas ag eraill, i archwilio ac anturio.

Wrth i berson ifanc dyfu, bydd ei hunaniaeth, ei hunan-barch a'i ymdeimlad o un sy'n cael ei garu a'i werthfawrogi (neu beidio) yn datblygu. Gall yr ymdeimlad o gael ei garu ddibynnu ar amodau a bydd yr un sy'n tyfu yn dod i wybod ei fod yn cael ei garu cyhyd â ... Bydd cael ei dderbyn gan eraill yn gallu bod yn amodol ar ymddwyn yn gwrtais, bod yn barod i gynorthwyo, ffrwyno tymer ddrwg, neu ... Mae'r rhestr yn ddiddiwedd.

Ymhen amser mae pobl yn tyfu'n oedolion, yn ffurfio ymlyniadau ac yn creu eu rhwydweithiau eu hunain o gariad a chyfeillgarwch a fydd yn eu cynnal. Mae ein hymdeimlad o hunaniaeth bersonol yn datblygu o'r ymlyniadau hyn wrth i ni, dros y blynyddoedd, ddod i'n deall ein hunain.

Mae'r profiadau cynnar hyn yn gallu llunio'r math o ymlyniadau y byddwn yn eu creu fel oedolion. Efallai fod gan rywun ddull ymlynu oriog neu orbryderus sy'n ffurfio'i bersonoliaeth a'i hunaniaeth wrth iddo dyfu'n oedolyn. Yn anymwybodol gall ffurfio'i hun i gyd-fynd ag anghenion emosiynol y person arall – yn cael ei dderbyn a'i werthfawrogi cyhyd â'i fod yn ymddwyn mewn modd derbyniol sy'n bodloni'r llall. Mewn llyfrau seicoleg poblogaidd 'bodlonwr (*pleaser*)' yw'r term am hyn. Bwriad llawer o'i ymddygiad yw osgoi cael ei wrthod a chael ei hoffi. Os mai hwn yw ei brif gymhelliad mewn perthynas bydd yn orbryderus ac yn ddibynnol iawn ar yr un y mae mewn perthynas ag ef/hi, ac yn ofni cael ei 'wrthod' wrth i'r dementia waethygu.

Hefyd, gall oedolyn ymwneud ag eraill drwy osgoi pob perthynas glos, yn ei ynysu ei hun, yn dibrisio agosatrwydd neu'n mabwysiadu agwedd sy'n rhy wybyddol tuag at bawb a phopeth. Mewn dementia gall hyn barhau a'i amlygu ei hun mewn anesmwythyd at fod yn agos at rywun neu mewn diffyg amynedd gyda'r ddibyniaeth lwyr ar eraill am help oherwydd anawsterau gwybyddol.

Wrth fyw â dementia mae dull ymlyniad person yn parhau'n weddol sefydlog. Fodd bynnag, mae'r arddull ymlyniad yn gallu newid, gyda'r newidiadau gwybyddol a'r ansicrwydd sy'n effeithio'n aml ar ei hyder wrth iddo ddechrau gwneud camgymeriadau'n gymdeithasol. Yn aml bydd y person yn dychwelyd at y math o ymddygiad a oedd yn fwy cyffredin yn ei blentyndod neu ei lencyndod – glynu, dibyniaeth, ansicrwydd neu orbryder. Fel y nodwyd eisoes, gall hyn fod yn ffordd o osgoi cael ei wrthod gan berthynas agos. Neu gall fod yn ymgais i reoli sefyllfa mae'n prysur golli gafael arni.

Mae'n bosib ystyried dychwelyd fel hyn at fath blaenorol o ymlyniad yn ymgais i geisio manipiwleiddio neu reoli'r gofalwr. Ond mae'n fwy tebygol o fod yn ymgais i amddiffyn yr ymdeimlad o bersonoldeb yn y dull symlaf posib. Anaml iawn mae'r gallu gan yr un sydd â dementia i gynnal rheolaeth gymdeithasol gymhleth fel manipiwleiddio!

Ac mae'n bwysig cofio hyn. Nid yw'r sawl rydych chi'n gofalu amdano yn ymddwyn mewn ffordd arbennig ddim ond i'ch cythruddo chi, gan amlaf. Er i'w ymddygiad achosi i chi ymateb yn emosiynol, nid yw hynny'n golygu ei fod yn fwriadol yn ceisio'ch gwylltio chi na pheri i chi deimlo'n rhwystredig, er eich bod yn teimlo'n ddig tuag ato. Peidiwch â dehongli ei ymddygiad yn nhermau eich teimladau chi tuag ato.

Felly, gan gadw mewn cof yr ymdriniaeth fer hon ag effeithiau cymdeithasol y dull sy'n canolbwyntio ar yr unigolyn, ac wrth barhau i ganolbwyntio ar les y sawl rydym yn cyfathrebu ag ef neu hi, byddwn yn edrych yn y bennod nesaf ar ddulliau penodol o gyfathrebu.

Ymarfer 2:4

Cymdeithasol

1. Beth sydd orau gennych chi wrth gymdeithasu ag eraill? Cymdeithasu'n aml neu'n anaml?

2. A ydych chi'n disgwyl i eraill ofyn am ganiatâd i ymweld â chi neu a ydych chi'n hoffi ymweliadau annisgwyl?

3. Beth ydych chi'n hoffi ei ddewis?

4. A oes rhywrai wedi eich trin mewn modd a barodd i chi deimlo'n wael amdanoch chi'ch hun? Os oes, sut wnaethoch chi eich amddiffyn eich hun?

5. Beth yw eich dull ymlyniad chi? Sut mae hyn yn dylanwadu ar eich perthynas â phobl?

6. Beth yw dull ymlyniad rhywun rydych chi'n gofalu amdano? Sut mae'n dylanwadu ar ei ymddygiad? Beth fedrwch chi ei wneud i greu ymdeimlad o les iddo?

SUT YDYM NI'N CYFATHREBU MEWN GWIRIONEDD?

Mae cyfathrebu'n cynnwys gwrando a siarad. Mae hefyd yn cynnwys emosiynau, canfyddiadau a'r holl agweddau dieiriau wrth ryngweithio sy'n ein helpu i ddeall ein gilydd ac i gyfleu ein neges i eraill.

Empathi, dychymyg a natur amddiffynnol
Cyn i ni ystyried elfennau cyfathrebu geiriol a dieiriau, mae'n bwysig ystyried empathi, dychymyg a natur amddiffynnol.

Diffiniad syml empathi yw'r gallu i ddeall profiad person arall. Mae'n un o hanfodion cyfathrebu. Hebddo nid yw'n bosib deall na dirnad y sefyllfa ar y cyd. Mae empathi'n gofyn i chi roi heibio eich safbwynt eich hun dros dro a defnyddio'ch dychymyg i weld safbwynt rhywun arall a sut mae'n teimlo. Mae empathi a dychymyg yn mynd law yn llaw. Mae'n rhaid wrth ddychymyg i gael empathi, i ddychmygu bywyd yn nhermau dealltwriaeth y person arall. Sut beth yw bod â dementia – y camddeall, y camgymeriadau wrth sgwrsio nad ydych wedi'u gwneud o'r blaen? Sut deimlad yw anghofio pethau y gwyddoch eich bod yn gwbl gyfarwydd â nhw? Methu datrys problem syml, ac rydych chi'n gwybod hynny, ond yn methu'n lân â'i datrys heddiw? Methu gwisgo amdanoch oherwydd eich bod yn methu cofio trefn gwisgo'ch dillad? Drysu ynglŷn â beth sy'n digwydd? Colli gafael ar sgwrs a theimlo allan ohoni? Sut beth yw teimlo'n ofnus oherwydd hyn? Yn unig? Ar eich pen eich hun? Yn ddig? Yn drist?

Rhaid cael dychymyg ac empathi i gyfathrebu'n dda â rhywun sydd â'i ymennydd yn newid ac yn methu gweithredu fel y bu. I wneud hynny'n effeithiol rhaid defnyddio'ch teimladau chi'ch hun. Gallai hyn olygu rhannu teimladau anghyfforddus. Efallai hefyd i chi ddechrau meddwl pethau negyddol am y person sy'n peri i chi deimlo'n anghysurus – er enghraifft, 'Fe fase'n dda gen i pe bai hwn yn mynd o'ma'. Mae rhai gofalwyr yn credu ei bod yn rhaid iddynt fod yn gwbl ddiemosiwn neu ddim ond yn medru teimlo'n fodlon ynglŷn â'u dull o ofalu. Mae hyn, fodd bynnag, yn eu rhoi mewn perygl o fethu bod ag empathi neu ddeall safbwynt a phrofiad y sawl maent yn gofalu amdano. Mae gofalu mewn modd sy'n canolbwyntio ar yr unigolyn yn golygu dwyn eich hunan yn gyfan i'r berthynas, gan gynnwys eich holl deimladau cadarnhaol a negyddol. Dewch â'ch emosiynau i gyd gyda chi.

Wrth gwrs, rhaid i chi warchod eich ffiniau a chofio bod gennych eich safbwynt eich hun, sy'n wahanol i safbwynt yr un sydd â dementia. Ond mae angen cynnwys eich emosiynau eich hun yn y dull o ofalu sy'n canolbwyntio ar yr unigolyn.

Rydym yn defnyddio empathi a dychymyg i gyfathrebu wrth geisio deall profiad y llall. Mae hyn yn wir ar lefel ryngwladol wrth i lywodraethau drafod telerau masnach. Beth yn union mae'r person/grŵp arall yn ceisio'i ddweud a beth mae'n ei olygu? Beth yw ei fuddiannau a'i gymhellion a beth yw ein barn ni am hyn? Beth mae'n ei olygu i mi/fy mhobl? O ddeall cymhellion y ddwy ochr a'r hyn sy'n bwysig iddynt, gellir cytuno wedyn a symud ymlaen.

Ar lefel unigol defnyddiwn empathi a dychymyg i geisio deall ein gilydd o fewn priodas a phartneriaethau clòs. Mae diffyg empathi'n gallu creu camddealltwriaeth ac achosi poen. Mae sesiynau therapi i gyplau yn llawn unigolion sydd â diffyg empathi tuag at brofiadau'r person arall. Dychymyg yn unig a fedr eu helpu i weld bywyd o safbwynt y llall. Empathi yw meithrin y gallu i'n huniaethu'n hunain â'r safbwynt hwnnw.

Mae'r enghraifft o therapi cyplau yn ein harwain at ddimensiwn diddorol arall mewn cyfathrebu, sef natur amddiffynnol. Os ydych yn teimlo'n amddiffynnol ac yn ddig, yn ofnus neu'n drist, bydd hi'n anodd i chi deimlo empathi tuag at y person arall. Mae hynny'n wir o ran problemau o fewn priodas ac unrhyw anawsterau eraill mewn perthynas, ac mae'n wir hefyd mewn gofalu. Gall eich natur amddiffynnol fod yn rhwystr a'ch atal rhag cydymdeimlo â phrofiadau person sydd â dementia a theimlo empathi tuag ato.

Mae natur amddiffynnol yn gallu creu nifer o broblemau wrth ofalu. Mewn perthynas bersonol agos ond helbulus, mae'n bosib bod natur amddiffynnol wedi cronni dros y blynyddoedd. Gellir deall hyn os yw hi wedi bod yn anodd byw gyda'ch partner neu os yw'n awdurdodol neu'n dibynnu arnoch. Yn y naill achos neu'r llall gallai'ch ymateb i'r ymddygiad hwnnw arwain at elfen amddiffynnol gyson ynoch chi yn erbyn y teimladau anodd mae'n eu hachosi. Felly wrth ofalu, pan mae'ch perthynas fel gŵr neu wraig yn newid i fod yn sefyllfa fwy anwadal, nad ydych yn gallu ei rhagweld, mae hynny'n gallu arwain at bob math o deimladau. Mae'r rhain yn achosi pryder i chi ac nid ydych yn dymuno'u teimlo na meddwl amdanynt.

Os yw hyn yn digwydd, trafodwch eich teimladau â chynghorwr proffesiynol a fydd yn gallu eich helpu i'w deall a'u rheoli er mwyn i chi fedru parhau i ofalu am eich cymar gydag empathi a gofal. Mae'n anodd iawn gwneud hyn ar eich pen eich hun gan fod cymaint o feddyliau cymysg ynghlwm â'ch teimladau, a'r rheini wedyn yn eich gwneud yn negyddol neu'n orfeirniadol o'r sawl sydd yn eich gofal. Mae bod yn wrthrychol amdanoch chi'ch hun a'ch cymar yn anodd iawn pan fyddwch yn teimlo'n amddiffynnol neu â theimladau negyddol cryf.

Felly, mae empathi a dychymyg yn hanfodol i gyfathrebu da mewn dull sy'n canolbwyntio ar yr unigolyn. Awn ymlaen i ystyried cyfathrebu geiriol a dieiriau.

Cyfathrebu geiriol

Mae cyfathrebu o dan amgylchiadau arferol yn cynnwys elfennau geiriol a dieiriau. Tybir mai bach iawn yw cyfraniad geiriau at ystyr yr hyn yr ydym yn ceisio'i gyfathrebu; mae'r ffigyrau'n amrywio o 5 y cant i 30 y cant.

Ar y llaw arall amcangyfrifir bod arwyddion dieiriau yn cyfrannu llawer mwy at gyfathrebu, gyda'r amcangyfrifon yn amrywio o 70 y cant i 95 y cant. Mae cyfathrebu dieiriau'n cynnwys iaith y corff ac ystumiau'r wyneb yn ogystal â goslef a thraw llais, pa mor gyflym rydych chi'n siarad a faint o sŵn rydych chi'n ei wneud.

Rhaid i eiriau fod yn syml ac yn uniongyrchol. Fel y trafodwyd eisoes yn yr adran 'Dementia a'r ymennydd' (tudalennau 12–19), mae cof y sawl sydd â dementia yn fyrrach ac yn methu canolbwyntio gystal. Felly, dylai brawddegau fod yn gymharol fyr a syml (ond nid yn blentynnaidd). Fel arfer ni fyddech yn defnyddio brawddegau hir a chymhleth, er enghraifft:

> Bydd y bws yn cyrraedd am 10 o'r gloch a byddwn yn mynd i'r siopau i brynu ffrwythau a llysiau ac yna, os liciwch chi, gallwn fynd am goffi. Liciech chi wneud hynny?

(Wrth gwrs, mae'n bosib bod yr un rydych chi'n cyfathrebu ag ef *yn* gallu deall y frawddeg hon; os felly, gallech ei defnyddio.)

Cofiwch nad yw'r un peth yn addas i bawb. Edrychwch ar ei ymateb. A yw wedi drysu neu'n peidio â gwneud yr hyn y gofynnir iddo'i wneud? Os felly, siaradwch mewn ffordd wahanol. A yw'n gwenu, yn cytuno ac yn ymateb gan ddweud rhywbeth priodol? Os yw, rydych wedi cyrraedd y nod.

Penderfynwch beth sy'n addas drwy ystyried a yw eich geiriau yn ddealladwy ai peidio. A ydynt yn cyfrannu at les y person neu'n tynnu oddi arno? Edrychwch ar y rhestr o arwyddion lles ac afles yn yr Atodiad. Y rheol sylfaenol yw: *peidiwch â defnyddio'r dull 'run fath i bawb wrth ofalu am bobl â dementia*. Addaswch eich sgwrs gyda'r bwriad o wella lles yr un rydych yn siarad ag e, neu ei gynnal.

Cofiwch: peidiwch â defnyddio brawddegau gorsyml rhag ofn i'r person feddwl eich bod yn ei drin fel plentyn. Rydych yn dal i siarad ag oedolyn. Gofalwch eich bod yn ei drin â pharch ac urddas.

Mae problemau'n codi'n bennaf pan fyddwn yn anghofio bod y person yn methu cofio pethau! Efallai fod yr un broblem gennym ni.

Byddwch yn benodol

Dywedwch 'Rhowch eich llaw ar y canllaw,' yn hytrach na 'Rhowch eich llaw yma'. Wrth i'r nam gwybyddol waethygu, bydd y person yn colli'r geiriau ar gyfer rhai pethau a bydd angen ei atgoffa ohonynt. Yn y cyfnod cynnar mae'n fwy na thebyg y bydd yn colli'r geiriau cyswllt fel 'yma' neu 'acw', 'hwn' neu'r 'llall'. Felly wrth siarad, byddwch yn benodol wrth ddweud wrth berson am wneud rhywbeth neu beidio â gwneud rhywbeth. Dyma enghreifftiau i'ch helpu i ddod o hyd i eiriau addas ar gyfer sefyllfaoedd penodol.

Aneglur	Penodol
Rhowch o fanna rhowch e fanco.	Rhowch y plât ar y bwrdd.
Eisteddwch.	Plygwch eich pengliniau. Rhowch eich pen ôl ar y gadair.
Rhowch hwnna i mi.	Wnewch chi basio'r siswrn i mi, plîs?
Helpwch fi.	Cymerwch y bag yma yn eich llaw.
Bwytewch.	Cydiwch yn y fforc. Rhowch hi yn y daten. Rhowch y daten yn eich ceg.
Cerddwch gyda fi.	Eich troed chwith. Yna'ch troed dde. Dau gam.

Un neu ddau ar y tro

Wrth i'r dementia afael ynddo, bydd y person yn mynd yn llai abl i gyflawni gweithgareddau cymhleth (mwy nag un cam) heb help, fel gwisgo neu fwyta. Gall hyn arwain at fethu ymateb i gyfarwyddyd aneglur, fel 'gwisgwch amdanoch a bydda i'n ôl ymhen munud'. Mae'r syniad o wisgo yn rhy gymhleth. Rhaid ei rannu'n gamau gwahanol o wisgo – er enghraifft, un cam ar gyfer pob eitem o ddillad neu symudiad: 'Gwisga dy drôns/dy bants', 'Cod dy droed', 'Rho dy fraich yn y llawes. Yna'r fraich arall' (gan gyffwrdd y fraich a dal llawes y crys ar agor). Efallai y byddai gosod y dillad yn eu trefn ar y gwely yn help os yw'n anodd iddo adnabod y gwahanol gamau wrth wisgo, ond yn gallu gwisgo amdano ar ben ei hun o hynny ymlaen.

Byddwch yn gryno

Wrth i ddementia waethygu mae'r rhychwant sylw (*attention span*) yn mynd yn fyrrach. Bydd person yn methu cadw cymaint yn ei feddwl â chi a fi, nac am gyhyd. Pan fyddwn yn wael neu'n flinedig, yr ydym ni hefyd yn dueddol o anghofio pethau, er enghraifft, 'Ble roddais i'r ...?'

Bydd person yn cael anhawster deall brawddegau hir neu eu dweud. Felly, gwnewch eich sylwadau'n fyr ac i'r pwynt. Peidiwch â defnyddio brawddegau ag 'a' neu 'ac' yn y canol. Er ein bod yn gwneud hynny wrth sgwrsio, mae'n achosi dryswch i bobl pan fydd rhychwant eu sylw yn fyrrach.

Ystyriwch yr enghreifftiau canlynol.

Rhy hir	I'r dim
Dos at y bwrdd, cod y llyfrau a thyrd â nhw ata i.	Dos at y bwrdd ... Cod y llyfrau ... Tyrd â nhw yma ata i.
Heddiw rydym ni'n mynd am dro. Yna fe ddown yn ôl a chael gêm o bingo cyn te. Ac os medrwn ni, fe awn i lawr y stryd am goffi.	Heddiw da ni'n mynd am dro. [Arhoswch am arwydd fod y person wedi'ch deall ac yna cyflwynwch y syniad nesaf] ... Yna fe gawn ni gêm o bingo.

Yn ogystal â bod yn ymwybodol o'ch cyfathrebu geiriol chi'ch hun, gwyliwch a gwrandewch am ymateb geiriol y person arall. Pa mor rhugl yw ef/hi? A yw'n gallu cwblhau brawddeg? A oes angen (neu eisiau) help arno i ddod o hyd i'r geiriau iawn? A yw'n anghofio enwau pethau? Cofiwch, sylwch ar ei ymateb.

Wrth roi help cadwch lygad ar ymateb emosiynol y person. Chwiliwch am arwyddion o les neu afles. Ystyriwch sut mae'n gweld y sefyllfa ac addaswch eich dull er mwyn iddo lwyddo. Peidiwch â chynnig cymorth os bydd hyn yn gwneud y sefyllfa'n waeth. Weithiau y peth gorau i'w wneud yw cadw'n dawel er mwyn i'r person gael ei ffordd ei hun allan o gymhlethdod y sgwrs.

Pan nad yw cwtogi pethau'n helpu

Mae'n bosib na fydd yr un rydych chi'n gofalu amdano yn gallu ymateb i'ch anogaeth i wneud rhywbeth oherwydd effeithiau strôc neu oherwydd bod ei gyflwr yn gwaethygu a bod angen eich cymorth corfforol chi arno. Dyma un o'r cyfnodau mwyaf peryglus i bersonoldeb y sawl sydd â dementia. Erbyn hyn mae'n dibynnu'n llwyr arnoch chi a'ch dirnadaeth, eich sgiliau, eich empathi a'ch gallu i'ch addasu eich hun i'w anghenion a'i ddewisiadau. Mae mewn mwy o berygl o gael ei lethu gan ofalwyr caredig ond annoeth sy'n rhy barod i gymryd drosodd a 'gwneud pethau' dros yr un maen nhw'n gofalu amdano, yn hytrach na'u 'gwneud gydag' ef. Er ei fod yn dibynnu ar y gofalwr, dylech anelu at gydweithio â'r person yn hytrach na gweithredu drosto.

Mae 'gwneud gyda' pherson sydd â dementia yn anodd gan fod ei ddiffyg geiriol neu wybyddol yn cyfyngu ar ei allu i gymryd rhan yn gydradd. Mae'n dibynnu ar ein sensitifrwydd ni ac arnom ni'n cadw golwg ar ei ymateb gyda'i wyneb a'i ystumiau. Rhaid i ni ddysgu 'darllen' arwyddion cynnil ei barodrwydd i gydweithio ac arwyddion o wewyr ac o wrthod cydweithio. Ydych chi'n gwybod sut mae'r un rydych chi'n gofalu amdano yn dangos ei fod yn gwrthod rhywbeth? Bydd rhai'n dangos eu bod yn gwrthod rhywbeth ar lafar drwy riddfan, sgrechian neu weiddi am help. Bydd eraill yn ymateb yn fwy cyntefig i geisio'u hamddiffyn eu hunain rhag rhywun maen nhw'n meddwl sy'n mynd i'w hanafu, drwy daro, pinsio, cicio neu boeri. Mae'r rhain yn arwyddion clir o wrthodiad a rhaid eu parchu, drwy sicrhau eich bod chithau ac yntau'n ddiogel yn gyntaf, ac yna drwy symud o'r neilltu nes y bydd y person wedi tawelu.

Mae 'gwneud gyda' yn bwysig gan ei fod yn eich galluogi i weithio ochr yn ochr â'r person yn hytrach nag yn ei erbyn neu yn unol â'ch cynllun gofal chi. Gallai hwn fod yn amherthnasol i'w safbwynt meddyliol ac emosiynol ar y pryd. Nid yw'r ffaith fod dementia arno'n golygu nad yw'n abl i gyfleu ei anghenion, ei ddewisiadau a'i ddymuniadau. Mae hyn yn gwneud i chi barhau i chwilio am yr arwyddion a fydd yn eich helpu i deimlo empathi tuag at berson ac i ddeall ei safbwynt. Beth mae'n ei deimlo ar hyn o bryd? Beth sy'n gwneud iddo deimlo fel hyn? Ei gefndir, efallai? Trawma'r gorffennol a theimlo ar adegau ei fod wedi'i gaethiwo a'i lethu a hynny'n gwneud iddo feddwl eich bod chi'n ceisio gwneud yr un peth?

Fel hyn, er mai chi, fel y gofalwr, yw'r un sy'n cyflawni'r weithred o ofal drosto, rydych yn parhau i gysylltu gymaint â phosib â'i gyflwr meddyliol ac emosiynol. Rydych felly yn 'gwneud gydag' ef.

Cyhoeddi

Yn yr hyn a elwir yn gyffredin yn 'gyhoeddi' gofal, rydych yn dweud yr hyn rydych chi'n mynd i'w wneud cyn i chi ei wneud (a pheidio â'i ddweud *wrth* i chi ei wneud). Mae hyn yn rhoi digon o rybudd i'r person fod rhyw weithred o ofal ar fin digwydd a'i fod yn ymateb rywsut. Er enghraifft, gallai'r un rydych yn gofalu amdano fod yn fwy cysurus o newid yn rheolaidd ei ystum wrth eistedd. Neu efallai bydd angen eich help chi arno i fynd i'r toiled, ond nid yw'n gallu gofyn am help nac yn gallu dilyn eich cyfarwyddiadau chi. Bydd yn methu cyfrannu at gyflawni'r weithred ac felly bydd yn dibynnu arnoch chi i'w gwneud drosto.

Yn anffodus, mae gofalwyr prysur yn tueddu i weithio'n gyflym ac yn trin y person fel petai'n anymwybodol neu'n wrthrych. Pan mae pobl yn methu cyfathrebu'n eiriol na gofalu amdanyn nhw'u hunain, mae perygl i ofalwr eu trin mewn ffordd amhersonol.

Nid yw'r ffaith eu bod yn hen neu â dementia yn golygu nad oes ganddo'u safbwynt personol ar eu gofal.

Mae mwy o berygl i hyn ddigwydd pan fydd gofalwr yn defnyddio offer megis cadeiriau olwyn, peiriannau codi, teclynnau mesur siwgr neu bwysedd gwaed neu thermomedrau. Mae'r offer hyn yn help ac yn angenrheidiol o bryd i'w gilydd. Ond weithiau wrth ddefnyddio'r offer, mae risg o ddadbersonoli'r sawl rydym yn ei helpu.

Rhaid cofio bod gan y person hwn deimladau – mae'n berson sy'n ymateb i'r hyn rydych chi'n ei wneud ac mae ganddo deimladau am hyn. Mae cael eich cludo mewn peiriant codi yn gallu bod yn frawychus ac yn anghyfforddus, yn enwedig os nad yw'r un sy'n gweithio'r peiriant yn canolbwyntio ar eich teimladau ac yn ceisio'ch sicrhau eich bod yn teimlo'n ddiogel a bod rhywun yn hidio amdanoch.

Byddech yn cyhoeddi gofal fel hyn:

> Helô, Mrs Davies, mae dros awr ers i ni eich symud.
> Fe hoffwn i eich symud chi eto i'ch gwneud chi'n gyfforddus. Ydy hyn yn iawn?

Yna bydd y gofalwr aros am arwydd geiriol neu ddieiriau gan Mrs Davies ei bod yn cytuno i gymryd rhan yn y weithred hon o ofal. Ewch ati'n araf gan roi digon o amser iddi ddeall yr hyn rydych chi'n ei ddweud. Siaradwch yn glir a byddwch yn gryno, yna arhoswch am ymateb.

> Mae Jane gyda mi. Rydym am eich rhoi ar eich eistedd a rhoi gwregys amdanoch i ...

Dylech wenu drwy'r amser a dangos eich bod yn hollol hyderus ac yn gwbl gyfarwydd â'r dasg. Peidiwch â symud yn gyflym na siarad yn uchel (oni bai ei bod hi'n drwm ei chlyw, wrth gwrs). Daliwch ati i sgwrsio er mwyn i Mrs Davies wybod yn union beth sy'n digwydd.

Pan fydd Mrs Davies wedi ymateb a chydsynio (os gall wneud hynny) neu pan fyddwch wedi deall nad yw hi'n gallu cyfleu ei bod hi'n cytuno, dechreuwch ei symud mor ofalus, cyflym a diogel â phosib.

Gwyliwch ei hwyneb a'i chorff am unrhyw arwydd o wewyr, poen, pryder, cynnwrf, ac ati. Os gwelwch chi unrhyw un o'r arwyddion hyn, arhoswch ac ystyriwch eto a ddylech barhau â'r weithred, ei gohirio neu ei hatal yn gyfan gwbl.

Mae adegau pan fydd y risg o achosi gofid a gwewyr yn drech na'r fantais o gyflawni'r weithred o ofal. Pan fydd hyn yn digwydd, gwell peidio â'i gwneud nes bydd y person yn fwy bodlon i gydweithredu neu i chi gael hyd i ddull arall o gyflawni'r nod o ofalu amdano. (Os digwydd hyn mewn gweithle fel hostel neu gartref nyrsio, rhaid dweud wrth y rheolwr er mwyn cofnodi'r digwyddiad a'r rhesymau drosto.)

Mae cyhoeddi gweithredoedd o ofal yn rhan bwysig o ofalu am rywun â chlefyd sy'n gwaethygu'n raddol, fel dementia. Efallai y bydd yn cydweithredu'n dda i ddechrau, ond wrth i'r clefyd waethygu efallai y bydd yn methu gwneud y weithred, neu'n methu'i gwneud bob tro, o leiaf. Rhaid bod yn sensitif i'r newidiadau yng ngalluoedd y person a chofio bod ei deimladau yr un mor effro er bod ei sgiliau'n dirywio. Efallai ei fod yn ddig am iddo golli'r sgiliau roedd mor falch ohonynt.

Gall hyn fod yn arbennig o wir am ddynion, sy'n tueddu i fod yn fwy dig oherwydd colli eu hannibyniaeth.

Cofiwch gyfathrebu'n ddieiriau yn hynod glir ar yr adeg hon. Peidiwch â symud yn rhy gyflym na chanolbwyntio gymaint ar y dasg fel na fyddwch yn canolbwyntio ar les emosiynol a chorfforol yr un sydd yn eich gofal. Gwenwch. Cyfathrebwch ar yr un lefel â'r person yn hytrach na sefyll uwch ei ben. Efallai nad yw'n deall eich geiriau, ond bydd yn dal i ddirnad eich cyfathrebu dieiriau. Bydd yn sicr o ymateb i'ch gofal corfforol, felly byddwch yn dyner, yn hyderus ac yn ddigynnwrf. Mae'n bwysig iddo deimlo eich hyder chi yn eich gallu i'w godi, ei ddal a'i dywys mewn modd sy'n peri iddo deimlo'n ddiogel a thawel ei feddwl.

Gweler Pennod 4 am drafodaeth ar gysylltu â phobl heb eiriau na symudedd.

Ymarfer 3: 1

Cyfathrebu geiriol

1. Pryd ydych chi wedi cael problemau cyfathrebu â rhywun â dementia?

2. Beth oedd eich ymateb? Oedd eich ymateb yn llwyddiannus?

3. Rhowch ddwy enghraifft o sut i siarad yn benodol â pherson sydd â dementia.

4. Pam ddylech chi gadw cyfarwyddiadau'n syml?

5. Pa mor hir y dylai'ch cyfarwyddiadau fod i rywun â dementia er mwyn iddo'u deall ac ymateb iddynt?

6. Pryd ddylech chi gyhoeddi gweithredoedd o ofal? Beth sy'n bwysig ei gofio wrth gyhoeddi, yn hytrach nag ysgogi?

Cyfathrebu dieiriau

Rydym yn cyfathrebu'n ddieiriau drwy iaith y corff a goslef, traw a chyflymder siarad.

Dewch i ni edrych yn gyntaf ar iaith eich corff. Ystum, mynegiant wyneb, cyswllt llygaid ac ystumiau yw iaith y corff, hynny yw, sut rydych yn defnyddio'ch corff. Mae iaith y corff yn ffordd o gyfathrebu a gall 'negeseuon y corff' ddweud llawer iawn wrthym os rhown ni amser i wylio ac i wrando.

Gwenu

Yr wyneb yw'ch modd gorau o gyfathrebu. Gallwch fynegi eich teimladau a'ch agwedd at rywun arall gyda'ch gwên. Mae'n dweud wrtho ei fod wedi'i dderbyn a bod popeth yn iawn. Mae'n ei gynnwys ef. Mae hyn yn eich cysylltu ag ef, ac yntau'n gwrando arnoch ac yn agored i chi. Mae gwg yn cyfleu neges wahanol, ar y llaw arall. Ein hamcan yw cynnal lles rhywun a'i ddatblygu, felly po fwyaf y byddwch yn gwenu ac yn dangos wyneb cynnes a digynnwrf, mwyaf tebygol yw hi y bydd y person arall yn bositif ac yn ddigynnwrf hefyd. Felly, gwenwch, gwenwch, gwenwch!

Safwch o flaen y person wrth siarad ag ef. Cyfathrebu dieiriau yw'r agwedd bwysicaf ar gyfathrebu â phobl sydd â dementia cynyddol. Byddant yn dibynnu arno fwyfwy. Felly bydd medru eich gweld yn iawn, gwylio'ch wyneb a sylwi ar negeseuon eraill gan eich corff yn hanfodol i'w helpu i wneud synnwyr o'r hyn sydd gennych i'w ddweud wrthynt.

Mae cyswllt llygad yn bwysig hefyd. Dywedir mai'r llygaid yw ffenestri'r enaid. Peidiwch â syllu, ond edrychwch gyda diddordeb am gyfnodau byr. (Mae hyn yn amhriodol ac yn anghwrtais mewn rhai diwylliannau felly cofiwch drin yr un rydych chi'n gofalu yn ôl ei ddirnadaeth a'i ddisgwyliadau yntau. Eto, peidiwch â defnyddio dull cyfathrebu 'run fath i bawb.)

Efallai na fydd cof y person gystal a bydd sŵn yn tynnu'i sylw yn rhwydd. Efallai y bydd hefyd yn cael anhawster canolbwyntio ar eich llais chi neu glywed eich llais pan fydd y cefndir yn swnllyd. I gael y cyfle gorau i gyfathrebu, gofalwch fod y person yn edrych arnoch chi. Bydd wedyn yn fwy tebygol o glywed eich llais ac o weld eich ceg yn symud fel cyfrwng cyfathrebu ac yn gallu canolbwyntio arno.

Osgo
Gall eich osgo ddweud wrth y person a oes gennych ddiddordeb ynddo ai peidio. Bydd pwyso ymlaen ac edrych arno yn annog rhywun â dementia i gynnal sgwrs.

Ystumiau
Gall ystumiau fod yn werthfawr iawn, yn enwedig os yw'r person wedi colli'r gallu i gyfathrebu'n eiriol. Defnyddiwch y cyfrwng gweledol i gyfleu eich neges iddo drwy symudiadau sy'n mynegi'r hyn rydych am ei ddweud wrtho. Unwaith eto, cofiwch y bydd rhai ystumiau penodol yn amharchus yn ei ddiwylliant.

Goslef
Yn ogystal ag iaith corff, mae goslef a thraw llais yn gallu newid ystyr geiriau. Gwyddom fod arwyddion dieiriau yn bwysig mewn cyfathrebu llwyddiannus. Mae hyn yn bwysicach fyth wrth siarad â phobl sydd â

dementia. Mae goslef, tôn llais, osgo, ystumiau a mynegiant wyneb i gyd yn cyfleu neges i'r person sydd naill ai'n cyfateb i'ch geiriau neu beidio. Pan fydd gallu pobl i ddeall geiriau'n dirywio, byddant yn dibynnu fwy a mwy ar gyfathrebu dieiriau. Os ydych am sefydlu perthynas lwyddiannus â'r person, rhaid gwneud pob ymdrech i gyfleu eich syniadau mewn modd dealladwy. Er mwyn i hyn ddigwydd rhaid bod yn fwy sensitif o ran defnyddio arwyddion dieiriau a'u heffaith ar gyfathrebu.

Defnyddiwch oslef sy'n cyfleu cydraddoldeb, yn hytrach na chithau'n feistr. Po fwyaf cydradd y bydd y person yn teimlo, mwyaf yn y byd fydd ei awydd i barhau â'i berthynas â chi. O fethu gwneud rhai pethau, bydd ei hunan hyder yn gwanhau felly mae'n bwysig defnyddio goslef sy'n dweud eich bod yn ei drin yn gydradd.

Os nad ydych yn siŵr o'ch goslef, gofynnwch am farn rhywun rydych yn ymddiried ynddo: 'Sut ydw i'n swnio pan fydda i'n siarad â Tom? Ydw i'n swnio fel fy mod yn ei drin fel person cydradd, neu a ydw i'n swnio'n nawddoglyd?'

Peidiwch â dweud y drefn wrth yr un sydd â dementia pan fydd yn gwneud camgymeriad: 'Tom, rwyt ti wrthi eto. Dywedais wrthot ti ddoe am beidio â bwyta fel yna.' Does neb yn hoffi gwrando ar rywun yn ei atgoffa o'i gamgymeriadau. Mae'n debyg ei fod yn ymwybodol o'i gamgymeriad ac ni fydd ei atgoffa o hyn yn barhaus yn gwneud unrhyw les. Bydd colli'r gallu i gofio yn dwyn oddi ar y person unrhyw effaith dda rydych yn ceisio'i chyflawni drwy ei atgoffa o'i gamgymeriad. Mae beirniadu'n gadael teimladau negyddol ac yn meithrin agwedd o beidio â dymuno cydweithio â chi. Anghofiwch

y camgymeriad a daliwch ati i siarad yn bwyllog, heb
godi eich llais.

Roedd ymddygiad Ted yn dân ar groen Christine –
roedd dementia arno ac roedd yn anghofio drwy'r
amser. Daeth hi adref ar ôl diwrnod o waith a gweld
ei fod wedi llusgo hen ddodrefn allan o'r garej a'u
gadael ar y lawnt. Roedd wedi cloi'r ci yn anfwriadol
yn y cwt yn yr ardd ac wedi rhoi'r ffyrc a'r llwyau yn y
lle anghywir yn y gegin. Ar y dechrau roedd Christine
mor flin, byddai'n cywiro Ted bob tro, gan ddangos ei
gamgymeriadau iddo a dweud mor ddig roedd hi.
Aeth Ted yn amddiffynnol ac i ddechrau, gwadodd
mai ef oedd wedi cloi'r ci yn y cwt. Rhaid mai rhywun
arall oedd wedi gwneud hynny. Amddiffynnodd ei
hun rhag yr hyn a welai fel ymosodiad ar ei hunan-
barch. Aeth i'w gragen a gwrthod siarad. Aeth
Christine yn fwy dig â hi ei hun yn ogystal â Ted a'i
ddementia am ganiatáu i'w ddiffygion ei chynhyrfu
cymaint. Roedd yn ymdrechu i ddelio â'r sefyllfa, ond
byddai'n dda ganddi gael yr hen Ted yn ôl. Roedd hi'n
hiraethu amdano.

Os yw gallu person i ddeall yn dirywio, mae'n bwysig
bod yn hollol glir wrth ddweud pethau. Gellir rhoi
cyfarwyddyd fel, 'Eistedda a bydda i'n ôl mewn munud'
yn dyner ac yn garedig, neu mewn modd bygythiol sydd
mewn gwirionedd yn golygu, 'Bydda i'n flin iawn os
byddi di wedi symud cyn i mi ddod 'nôl'. Mae hwn yn
fath o fwlio a dylid ei osgoi. Unwaith eto, ceisiwch gyfleu
iddo eich bod yn derbyn ei sefyllfa ac yn ei annog.

Cyflymder siarad
Rhowch amser iddo feddwl amdano ... Siaradwch mor
gyflym ag sy'n dderbyniol ac yn ddealladwy i'r unigolyn

yn eich gofal. Mae llawer ohonom yn siarad yn gyflym a gall hyn fod yn broblem i berson oedrannus, p'un a oes dementia arno ai peidio. Cofiwch, peidiwch â gweiddi. Er bod dementia ar rywun, nid yw hyn yn golygu ei fod yn fyddar (er bod rhai â nam penodol ar y clyw, wrth gwrs!).

Yn ogystal â dygymod â'i rychwant sylw'n lleihau, mae'n anodd i'r un sydd â dementia feddwl neu ymateb mor gyflym ag y byddai yn y gorffennol. Mae hyn yn digwydd i bawb ohonom yn naturiol wrth heneiddio, ond mae'n fwy amlwg mewn rhywun sydd â dementia. Mae'n bwysig peidio â'i ruthro gan y bydd yn drysu.

Seibiau
Felly, cymerwch saib rhwng syniadau i roi amser i'r person wneud synnwyr o'ch cyfarwyddiadau. Wrth wneud hyn, byddwch yn gallu dirnad faint o wybodaeth mae'n gallu ei phroses a'i ddeall. Os na fyddwch yn cymryd saib, y cyfan a welwch fydd y person yn edrych yn ddryslyd wrth iddo fethu ymdrin â gormod o wybodaeth. Mae fel petai ei ymennydd yn dioddef diffyg traul. Rhowch amser iddo 'gnoi cil' dros eich geiriau, cyn symud ymlaen at y 'llond meddwl' nesa.

Gallwch gyfuno hyn â rhannu'ch syniadau'n frawddegau byr a/neu oedi am ennyd fer rhwng brawddegau byr i helpu'r person i'w deall.

Pa mor hir y dylai'r saib fod? Tua'r un amser ag y mae'n ei gymryd i chi ddweud, 'Un, un filiwn'. Bydd hyn yn amrywio, ond o ddechrau gyda hyn ac addasu'ch amser i'r sawl rydych chi'n siarad ag ef, byddwch yn gweld drosoch eich hun faint o saib sy'n gweithio i'r ddau ohonoch. Gall hefyd amrywio os yw'r person yn flinedig neu'n sâl.

Roedd James ac Alice wedi bod yn briod am 53 o flynyddoedd pan ddechreuodd hi fynd yn fwy anghofus nag arfer. Dros y blynyddoedd diwethaf bu James yn llenwi'r bylchau iddi pan roedd hi'n sgwrsio â rhywun arall. Pe digwyddai'r ddau fod allan gyda'i gilydd a James yn sylwi ei bod ar adegau yn petruso wrth siarad, byddai'n llenwi'r bylchau yn ei sgwrs yn ddiymdrech. Roedd Alice yn falch o gael cwmni James a gyda'i gilydd roeddent yn medru cynnal eu bywyd cymdeithasol. Gartref roedd Alice yn anghofio beth oedd yn digwydd nesaf ac yn aml byddai'n sefyll wrth ochr James ac yn gofyn iddo beth roedd yn ei wneud. Yn amyneddgar byddai'n dweud wrthi eto a hithau'n gwenu fel petai'n clywed hynny am y tro cyntaf.

Cydraddoldeb

Mae llawer iawn o gyfathrebu ymysg hen bobl yn digwydd pan fyddant yn eistedd mewn cadair neu gadair olwyn. Os ydych chi'n sefyll, mae hyn yn creu rhyngweithio cymdeithasol anghyfartal. Canlyniad hynny'n aml yw nad yw pobl yn gwrando arnoch neu'n troi oddi wrth y sgwrs oherwydd eu bod yn teimlo eu bod wedi'u llethu neu nad oes neb yn eu gwerthfawrogi. I sicrhau eu bod yn cael eu trin â pharch ac yn gwrando arnoch chi, rhowch eich hun ar yr un uchder â nhw i gynnal cydraddoldeb. Hynny yw, os ydynt yn eistedd, ewch ar eich gliniau wrth eu hymyl i fod ar yr un uchder â nhw, os yw hyn yn bosib. Fel hyn mae ganddynt fwy o ryddid i ddewis yn hytrach na theimlo'u bod wedi'u gorfodi i 'ufuddhau' oherwydd eich bod yn ymddangos yn awdurdodol wrth sefyll uwch eich pen.

Safai'r ofalwraig uwch ei ben gan ddal llwy o flaen ei wyneb fel hofrennydd yn disgwyl plymio i'w geg. Gwyddai bod yn rhaid iddo gydweithredu gan ei bod hi'n dweud y drefn drwy'r amser wrth bobl am beidio â bwyta'n ddigon cyflym neu oherwydd eu bod yn bwyta'n flêr. Byddai'n edrych o'i chwmpas ac yn rhoi cyfarwyddiadau i'r gofalwyr eraill fel cadfridog yn gweiddi gorchmynion. Byddech bob amser yn ufuddhau pan fyddai hi ar ddyletswydd.

Efallai fod hunan-barch y person yn fregus, yn enwedig os yw'n teimlo'i fod yn methu gwneud ambell beth. Gwnewch ymdrech fawr i ddefnyddio goslef sy'n mynegi cydraddoldeb yn y berthynas, ei fod yn cael ei dderbyn ac yn rhan o lif bywyd.

Ymarfer 3:2

Cyfathrebu dieiriau

1. Defnyddiwch enghraifft o osodiad y gellir ei ddweud gan ddefnyddio dwy oslef wahanol a fydd yn mynegi dau ystyr hollol wahanol.

2. Pa fath o gyfathrebu dieiriau fyddech chi'n ei ddefnyddio i ddangos diddordeb a sylw?

3. Sut fyddwch chi'n dangos eich bod yn gwrando?

4. Sut fyddech chi'n defnyddio cyfathrebu dieiriau i ddangos nad ydych yn fygythiad?

CYFATHREBU Â PHOBL
HEB LEFERYDD NA SYMUDEDD

Mae dementia yn gyflwr cynyddol sy'n lleihau'n raddol rychwant gweithredu'r ymennydd. Felly, pan fydd yr un sydd â dementia yn y cyfnod datblygedig neu derfynol, gallai golli ei leferydd a'i symudedd. Mae colli'r galluoedd dynol hanfodol hyn yn ein hamddifadu rhag profi lles mewn ffyrdd agored, amlwg. Fodd bynnag, does dim rhaid iddi fod felly, ond mae'n ei gwneud hi'n anoddach i'r un â dementia brofi lles. Mae hi hefyd yn anoddach i'r partner neu'r gofalwr, gan ei fod yn rhoi mwy o gyfrifoldeb ar hwnnw i ddarparu cyfleoedd i'r un â dementia eu profi, neu sicrhau bod cyfleoedd o'r fath yn cael eu darparu.

Gwthiodd y gofalwr y gadair olwyn fawr, gyfforddus i safle wrth y ffenestr fel y gallai Julie, a oedd â dementia datblygedig, edrych drwyddi a mwynhau'r haul a'r planhigion. Gerllaw roedd rhai o drigolion eraill y cartref yn cymryd rhan mewn gweithgaredd grŵp o amgylch y bwrdd a llawer o hwyl a chwerthin i'w glywed. Er gwaethaf stiffrwydd ei chorff annhyblyg a safle'r gadair, trodd Julie ei phen i edrych ar y cwmni diddan a bu felly am rai munudau, gan ymuno â nhw. Roedd ei hawydd am gysylltiad cymdeithasol, am gael ei chynnwys, yn fyw ac yn iach.

Mae Julie yn fod cymdeithasol, a chanddi hanes, ymdeimlad o hunaniaeth a dymuniadau. Er gwaethaf colli iaith a'r gallu i symud o gwmpas, mae pawb ohonom yn parhau'n fodau cymdeithasol. Mae'r awydd i fod mewn perthynas yn parhau pan fydd dementia wedi dwyn y gallu i ynganu geiriau neu sôn am brofiadau. Nid yw dementia'n amharu ar ein hemosiynau, ddim ond ar ein gallu i ddiwallu ein hanghenion a'n dymuniadau.

Gwelir hyn gliriaf yn symudiadau bychain y llygaid a'r troi pen wrth i rywun ddilyn ein symudiadau ar draws ystafell. Byddant yn ein dilyn ac yn gwylio pob symudiad. Maent yn symud eu cyrff wrth edrych ymlaen at gael ein cwmni ac yn pwyso ymlaen i geisio cyfranogi.

Yn yr arwyddion bychain hyn gallwn adnabod y dymuniad i gysylltu â ni. Yn anffodus mae llawer o ofalwyr yn methu gweld y mân gyfathrebu hwn ac yn gweithredu fel petaent yn meddwl bod y person wedi rhoi'r gorau eisoes i'r dymuniad i gyfathrebu. *Nid yw'r awydd i gyfathrebu yn darfod gyda'r geiriau.*

Pan fydd gofalwr yn dechrau meddwl fel hyn, mae'n newid ei ymddygiad tuag at yr un mae'n gofalu amdano. Nid yw'n gwneud ymdrech i ymddiddori yn y person nac ymateb iddo a bydd y gofalu'n ddidaro ac yn canolbwyntio ar y tasgau'n unig. Bydd yn peidio ag edrych i lygaid y person ac ar ei wyneb, gan ddim ond gwneud yr hyn sy'n angenrheidiol i gadw'r person yn lân ac i'w fwydo.

Mae hyn yn ychwanegu at ymdeimlad y person o fod wedi'i ddatgysylltu, o unigrwydd ac o leihad yn ei bersonoldeb.

I rai aelodau o'r teulu sy'n ymweld neu sy'n gofalu am berthynas gartref, dyma'r unig ffordd o gysylltu â'r person, oherwydd mae'n boenus iawn gwybod bod y person yn dal yn eu mysg ond wedi newid yn llwyr. O ganlyniad maen nhw'n ymbellhau o'u perthynas, fel pe na bai bellach yn bresennol. Mae hyn yn fwy diogel iddynt yn emosiynol.

Gallwn dosturio wrth deuluoedd sy'n ymateb fel hyn. Nid ydynt yn ymddwyn yn faleisus yn fwriadol. Fel rheol, dyma'r gorau y gallant ei wneud. Fodd bynnag, gallwn ddangos iddynt sut i gynnwys eu perthynas mewn sgwrs trwy siarad ag ef, cyfeirio ato wrth i ni siarad a pheidio byth â'i anwybyddu mewn sgwrs.

Efallai mai'r sefyllfa anoddaf i ofalwr yw pan fydd yr un y mae'n gofalu amdano wedi mynd mor anabl oherwydd dementia fel mai trwy ei synhwyrau'n unig y mae'n gallu profi bywyd, nes ei fod yn gwbl ddibynnol ar y gofalwr am ei holl weithgareddau beunyddiol ac yn methu cyfathrebu drwy eiriau.

Er i ni fethu sylwi ar y llygaid yn symud nag arwyddion eraill o adnabyddiaeth, *mae'r person â dementia yn dal i fod mewn perthynas â ni, a ninnau ag ef.*

Mae'r personoldeb yn parhau cyhyd ag y bydd y person yn anadlu. Ar adegau mae'n anodd iawn gweld na synhwyro'r person yn y cyflwr corfforol gwahanol hwn, yn gorwedd mewn gwely neu'n eistedd ar gadair, yn methu siarad na gofalu amdano'i hun.

Mae cyfathrebu'n parhau i fod yn broses ddwyffordd a rhaid i ni weld hynny. Gŵr sy'n gallu gweld hyn yw John Killick. Mae wedi trafod cerddi a luniwyd gan bobl â dementia, sy'n datgelu eu dirnadaeth o'r byd, eu hunain a'u bywydau. Maent mewn dwy gyfrol: *You are Words: Dementia Poems* (Killick 1997) ac *Openings* (Killick a Cordonnier 2000).[1]

---

[1] Gwefan John Killick: www.dementiapositive.co.uk

Mae'r cerddi pwysig hyn wedi dangos yn eglur fod pobl â dementia datblygedig yn dal i fod yn ymwybodol o'u hunaniaeth, y byd o'u cwmpas a'u bywyd eu hunain. Maent yn dymuno cadw mewn cysylltiad â'r bobl y maent yn eu caru ac sydd yn eu caru nhw.

Gallai'r person ddefnyddio mathau o fân ymddygiad – symud ei lygaid neu ei ben, defnyddio mynegiant wyneb, ystumiau mân, pyliau o ddistawrwydd neu ambell ebychiad mewn ymgais i gyfleu profiad neu ddymuniad. Mae'r arwyddion bychain hyn o gysylltu â'r byd oddi allan i gyd yn negeseuon sydd ag ystyr iddynt. Dyma iaith y person ar ei daith ar hyn o bryd. Mae'r iaith hon yn gyfyng a distaw ac mae'n gofyn am ei deall drwy dawelwch ac wrth ddisgwyl. Yn y man distaw hwn yr atgofion hyn am bwy ydyw a phwy ydoedd sy'n ein galluogi i gysylltu ag ef ac yn ein hysgogi i'w gofio: person yn ei holl lawnder, a'i orffennol bellach yn bresennol yn ein meddyliau.

Yn ystod y cyfnod hwn o fod gyda pherson â dementia sy'n methu siarad na gofalu amdano'i hun, mae ei bersonoldeb yn ein gofal ni. Byddwn yn gwneud hyn drwy ein hatgofion amdano, ein hanesion amdano ac yn ein hymdrechion ystyriol i gynnig cysur, cynnal ymlyniad, cadarnhau ei hunaniaeth, ei gynnwys mewn gweithgareddau a diwallu ei hawl i'w gynnwys fel person cydradd.

Delio â'ch anghenion chi'ch hun

Ar amser fel hyn rhaid i ni fedru delio â'n hangen ein hunain. Gall hwn fod yn gyfnod emosiynol anodd iawn ac mae'n peri i rai droi cefn ar rywun sydd â dementia. Gall cadw cwmni i berson, ei olchi neu ei fwydo fod yn brofiad heriol ac yntau'n gwbl ddibynnol arnoch. Mae'n peri i ni wynebu ein meidroldeb ni ein hunain, ein gorffennol a'n presennol, ein dymuniad i bethau ddigwydd yn gyflym ac am ganlyniadau. Rhaid i ni reoli'r gwewyr hwn. Anaml iawn y mae hyn yn bosib ar ein pen ein hunain. Mae hon yn adeg cysylltu â'r rheini sy'n ein caru ac yn gallu ein cynnal ni gyda'u cefnogaeth a'u anogaeth sy'n ymarferol yn aml.

Gall yr amser anodd a heriol hwn fod yn brofiad adeiladol i'r rhai sy'n ofalwyr, yn gyflogedig neu'n berthnasau. Byddwch yn darganfod pethau amdanoch chi'ch hun nad oeddech yn eu gwybod o'r blaen – rhai'n ddymunol, rhai'n annymunol. Mae hyn yn rhan o'r profiad o ofalu ac yn wers i ddysgu ohoni. Os cewch chi gyfle, ceisiwch drafod hyn â rhywun arall er mwyn i chi ddysgu o'r profiad a thyfu'n gryfach person.

Ymarfer 4:1

Cyfathrebu â phobl heb leferydd na symudedd

1. Pa fathau o fân ymddygiad y mae'n bwysig eich bod yn sylwi arnynt wrth gyfathrebu â rhywun sydd wedi colli'r gallu i siarad?

2. Sut fedrwch chi wella profiad un sy'n methu siarad?

3. Pa ddulliau o gyfathrebu dieiriau sydd fwyaf effeithiol wrth gyfathrebu â'r rhai sydd wedi colli'r gallu i siarad?

Pennod 5

SEFYLLFAOEDD PENODOL

Byddwn yn dweud, 'Wyddost ti be, Helen? Rydw i'n
adnabod dy ferch yn iawn. Fe fuom ni'n sôn amdanat
ti heddiw. Dywedodd hi wrtha i dy fod wedi cael dy
fagu yn Chippewa Falls ac iti fyw ar fferm. Wyt ti'n
cofio'r lle?' Wrth i'r cyfeiriadau personol hyn ei
helpu i gysylltu a dwyn atgofion yn ôl iddi, bydd eich
cyfeiriadau at ei merch neu ei mab yn peri iddi
feddwl amdanoch fel 'ffrind' ac felly yn un y gall
ymddiried ynddo.

Habib Chaudhury (Chaudhury 2008, tud.79)

I berson sydd â dementia mae wynebu pob dydd yn her
ac ar adegau'n ymddangos yn amhosib. Mae cyfathrebu
da yn ystod gweithgareddau byw pob dydd yn gallu
gwneud byd o wahaniaeth. Edrychwn nawr ar nifer o
weithgareddau dyddiol y gellir eu gwella gyda
chyfathrebu da.

Yn y gawod

Wrth helpu rhywun â dementia i gael cawod, mae'n
bwysig cofio natur y sefyllfa. Mae'r gawod yn fan hynod
breifat ac mae'n bosib nad oes neb arall wedi bod yno
gydag ef erioed. Mae cael cawod yn weithgaredd y bydd
pobl yn ei wneud ar eu pen eu hunain ac mae'n hynod
breifat. Mae'r person yn noeth neu rydych chi'n ei helpu
i ddadwisgo.

Sut mae'n debygol o deimlo yn y fath sefyllfa? Dyma'r cwestiwn pwysig, y cwestiwn pwysig drwy gydol y llyfr hwn. Sut mae'n debygol o deimlo? Sut fyddech chi'n teimlo?

Mae'n debygol y bydd yn teimlo embaras, ofn, dicter, neu efallai y bydd yn ddryslyd ac wedyn yn ddig, neu'n orbryderus ac yn pryderu bod rhywbeth drwg yn mynd i ddigwydd iddo.

Profiad anghyfforddus i lawer o bobl oedrannus (o bob oed, mewn gwirionedd) yw bod yn noeth o flaen rhywun arall. Felly mae'n rhaid i ni ddangos ein bod yn deall bod y person yn teimlo'n anghyfforddus.

I lawer o fenywod mae ofn ymosodiad rhywiol yn gyffredin ac mae'n bosib i ddynion hefyd deimlo'n ofnus pan maen nhw'n noeth ac yn teimlo'n fregus. Cofiwch, pan fydd rhywun teimlo fel hyn gallai geisio'i amddiffyn ei hun rhag bygythiad neu berygl posib. Gall profiad trawmatig yn y gorffennol (tebyg i oroesi'r Holocost) achosi i'r person ymddwyn fel pe bai'r digwyddiad brawychus yn digwydd eto. Byddai hyn yn achosi gwewyr i'r person â dementia a'r gofalwr fel ei gilydd – y gofalwr yn ceisio'i orau i roi'r gofal gorau, ond yn cael ei gamddeall.

Mewn achos o ymateb trawmatig neu gatastroffig, camwch yn ôl mor bell ag y mae'n ddiogel gwneud hynny. (Efallai na fyddwch yn gallu gadael y person ar ei ben ei hun am resymau diogelwch, ond dylech geisio symud yn ôl yn gorfforol rhag ymddangos yn fygythiad i'r person.) Siaradwch yn dawel a thyner a gwenwch. Trowch gledrau'ch dwylo tuag ato a'ch bysedd ar i fyny, i ddangos nad oes bygythiad iddo. Defnyddiwch bob ystum posib i arwyddo nad oes bygythiad iddo a'i fod yn berffaith ddiogel.

Mae nifer o ofalwyr wedi dioddef ymosodiadau mewn cawod gyfyng. Oherwydd hyn mae'n bwysig meddwl cyn dechrau sut i ddelio â sefyllfa a all fod yn un ymfflamychol. Siaradwch â'r person sydd â dementia er mwyn iddo ddeall beth rydych chi'n ei wneud neu'n bwriadu'i wneud. Rhowch ddigon o rybudd iddo a daliwch ati i siarad, i ofalu ei fod yn gwybod drwy'r amser yr hyn rydych chi'n ei wneud. Os byddwch chi'n peidio â siarad, mae perygl iddo anghofio beth sy'n digwydd a bydd yn drysu ac yn ddig/yn orbryderus/yn ofnus ac yn dychryn yn ofnadwy. Felly, daliwch ati i siarad am unrhyw beth – am y person ei hun a'i fywyd, os ydych yn gwybod digon amdano, neu amdanoch chi a'ch teulu neu am yr hyn sydd i ddigwydd heddiw. Fel y soniwyd eisoes, mae gwybod stori bywyd y person yn hanfodol er mwyn i chi ysgogi teimladau pleserus ar adegau pan mae o dan straen oherwydd y salwch.

Os ydych chi'n gwybod bod y person yn swil o'i gorff, gwnewch eich gorau i'w orchuddio â lliain bob amser, fel nad yw'n teimlo mor noeth. Bydd ambell un yn dewis mynd i'r gawod yn gwisgo dillad nos, ac yna gellwch eu diosg wrth iddo gael cawod, pan mae'n gyfleus.

Gwnewch y gorau o'r amgylchedd i geisio sicrhau llwyddiant. Mae arogleuon hyfryd gydag aromatherapi, ystafell ymolchi gynnes, llieiniau cynnes, cadach gwlanen cynnes i olchi'r wyneb, cerddoriaeth gysurlon (neu hoff gerddoriaeth y person) i gyd yn cyfrannu at greu teimladau cadarnhaol ac at lwyddiant y dasg. Paratowch, a byddwch chi ar eich ennill. A'r un sydd yn eich gofal!

Edrychwch fel petaech chi wedi ymlacio a cheisiwch ymlacio. Rhowch arwyddion dieiriau eich bod wedi ymlacio y gall y person eu codi ac ymateb iddynt. Os bydd yn teimlo eich bod chi dan straen ac ar bigau'r drain, byddwch yn debygol o golli ei ymddiriedaeth a bydd mewn hwyl amddiffynnol. Mae'n fwy na thebyg y bydd yn mynegi dicter mewn hwyl o'r fath.

Rhaid osgoi ymddygiad awdurdodol. Os ydych ar frys neu'n mynnu bod yr un sydd yn eich gofal yn gorfod cael cawod 'oherwydd dyna sydd orau i chi', byddwch mewn trafferth.

Os digwydd hyn, bydd rhaid i chi gamu'n ôl a defnyddio hiwmor, os medrwch chi, i newid yr hwyl. Mae gwên yn gwneud gwyrthiau bob amser, hyd yn oed os nad ydych yn teimlo fel gwenu.

Os yw'r person wedi cynhyrfu ac yn gwrthod cydweithredu, rhowch y gorau i'r gawod, gofalwch fod ei gorff wedi'i orchuddio a gwnewch rywbeth arall – fel golchi ei wyneb, gan roi cadach gwlanen cynnes iddo'i ddal a'i ddefnyddio.

Byddai cadach gwlanen yn ddefnyddiol hefyd i'w rhoi yn llaw'r person os yw'n ceisio'ch taro yn ystod y gawod, fel bod ganddo rywbeth i afael ynddo yn lle gafael ynoch chi.

Os yw'r person yn gyndyn o fynd i mewn i'r gawod, efallai byddai'n well rhedeg y dŵr wrth i chi sgwrsio a'i dywys yn araf i'w derbyn – gan bwysleisio drwy'r amser nad oes rhaid iddo gael cawod.

Nid oes rhaid rhoi cawod i rywun bob dydd os yw'n cadw ei hun yn lân. Gallai hynny leihau'r straen iddo. Ond os yw'n gwlychu a baeddu, bydd angen i chi gynnig rhoi cawod lawn iddo bob dydd.

Adegau bwyd

Mae adegau bwyd yn bwysig yn y dydd, nid yn unig i fwyta bwyd ond hefyd i ymuno â phobl eraill i sgwrsio ac i rannu profiadau ac atgofion. Mewn cartref gofal yr henoed neu yng nghartref teulu'r person, mae'n gyfle gwych i rannu profiadau o hel atgofion a pherthynas ag eraill yn ogystal â bwyd da.

Gall pryd bwyd fod yn bleserus neu'n adeg penodol i fwydo rhywun. Dewiswch chi. Mae pa fath o brofiad yw adeg bwyd i'r un â dementia yn dibynnu'n llwyr arnoch chi fel yr un abl.

I ddeall effaith pryd o fwyd ar bobl, gwyliwch y ffilm *Babette's Feast* (Axel 1987). Mae'n adrodd stori pentref bychan yn Denmarc oedd dan orthrwm ceidwadaeth grefyddol a hwnnw'n cyfyngu mwynhau pethau sylfaenol hyd yn oed fel bwyd. Mae pryd o fwyd blasus a gwin da, wedi'u paratoi'n hyfryd gan Babette, yn gweddnewid bywydau'r rheini sy'n eistedd o gwmpas y bwrdd. Maent yn cael rhyddid i gymdeithasu a mwynhau yn fwy nag a wnaethant erioed o'r blaen. Maent yn gweld ei gilydd mewn goleuni newydd. Caiff hen atgofion eu deffro a daw cariad i'r golwg o'r gorffennol oer.

Peidiwch â rhoi dim mwy o help nag sy'n angenrheidiol i berson allu bwyta'i fwyd yn llwyddiannus. Ar rai adegau anogaeth lafar yn unig fydd ei hangen. Ar adegau eraill efallai y bydd angen anogaeth i ddechrau ac wedyn cynyddu'r help yn raddol wrth iddi ddod yn amlwg ei fod yn cael diwrnod gwael a bod angen rhagor o help arno. Eisteddwch ar yr un lefel â'r sawl sydd ag angen cymorth, yn ei wynebu neu wrth ei ymyl fel y gallwch estyn y fforc neu'r llwy at ei geg. Rhowch brin gegaid o fwyd ar y fforc neu'r llwy. Oes oes angen glanhau ei wyneb â llwy neu wlanen, efallai eich bod wedi rhoi gormod o fwyd iddo.

Ceisiwch helpu un ar y tro yn unig, os oes eraill yn bwyta gyda'i gilydd. Rhowch sylw i'r unigolyn hwnnw a daliwch at i sgwrsio ag ef yn union fel y byddech yn sgwrsio ag unrhyw un arall adeg bwyd. Cymerwch eich amser a gadwch iddo benderfynu pa mor gyflym neu araf y mae am fwyta. Rhowch amser iddo lyncu a gwyliwch amdano'n gorffen cegaid. Gofalwch ei fod yn llyncu cyn cynnig y llwyaid nesaf o fwyd iddo.

Os yw'r rhai sy'n bwyta gyda'i gilydd adeg bwyd yn gallu cynnal sgwrs, gallwch fod o gymorth i gynnal y sgiliau cymdeithasol o sgwrsio a bwyta mewn cwmni, wrth iddynt eich gwylio chi'n bwyta ac felly bod yn batrwm iddynt sut i ymddwyn wrth gyd-fwyta. Os ydych yn bwyta gartref, eisteddwch gyda'r un sydd â dementia fel ei fod yn gallu'ch gweld chi'n bwyta a dangoswch iddo sut mae bwyta'n briodol. Gallwch wneud hyn hefyd wrth fwyta allan. Mae hyn yn rhoi hyder iddo ei fod yn bwyta'n briodol. Eisteddwch gyferbyn ag ef fel ei fod yn gallu gweld yr hyn rydych chi'n ei wneud. Efallai nad yw bwyta'n broblem, ond os ydych chi'n sylwi ei fod yn broblem, gallai hyn helpu. Pan mae pobl yn cyd-fwyta, bydd rhai'n aros nes y bydd pawb yn eistedd cyn iddynt ddechrau bwyta. Mae'n bwysig cofio bod nifer o'r genhedlaeth rydym ni'n gofalu amdanynt wedi'u dysgu ei bod hi'n anfoesgar dechrau bwyta cyn i bawb arall fod yn barod i fwyta.

Pan fydd y pryd wedi dechrau, gall sgwrsio hybu'r bwyta drwy ysgogi teimladau bodlon y person, ei helpu i ymlacio a theimlo'i fod mewn lle cyfarwydd gyda phobl gyfarwydd ac yn teimlo'n fodlon yn eu cwmni. Gallwch sôn am atgofion cyfarwydd am ddigwyddiadau, pobl a bwydydd y maent yn eu mwynhau, i helpu i wneud i'r person deimlo'n dda. Mae hyn yn cyfrannu at les mewn sefyllfa a allai fod fel arall yn brofiad ymarferol, gwag, sy'n achosi rhwystredigaeth i'r ddau ohonoch.

Bwyd bys a bawd

Mae'n anodd sgwrsio adeg bwyd os yw'r person yn methu eistedd trwy bryd cyfan. Felly gall darparu bwyd bys a bawd fod o help fel y gall y person symud yn rhwydd o amgylch a chael digon o faeth o hyd. Bydd bwyd bys a bawd o gymorth hefyd os yw'r person yn methu defnyddio cyllell a fforc. Mae ystod eang o fwyd bys a bawd ar gael, o frechdanau i ddarnau o lysiau wedi'u coginio (cysylltwch â deietegydd lleol am gyngor).

Gwisgo

Mae ein gwisg yn cyfleu ein hunaniaeth i bobl eraill. Mae sicrhau bod person sydd â dementia yn gwisgo'n briodol, yn unol â'i ddymuniadau, ei hunaniaeth a'i weithgareddau yn gyfrifoldeb pwysig.

Mae helpu rhywun i wisgo amdano'n gallu bod yn amser hwyliog ac yn baratoad ar gyfer y dydd. Mae sgwrsio wrth wisgo yn gallu rhoi person mewn hwyliau da. Ystyriwch sut hwyl sydd ar y person a beth sydd i ddod yn ystod y dydd. Efallai y byddwch yn awyddus i'w helpu i godi o hwyliau isel neu ddryslyd drwy ganolbwyntio ar bwnc rydych yn gwybod y mae'n ei fwynhau. Meddyliwch amdano fel person, nid fel rhywun i'w wisgo'n unig. Cadwch lyfr stori ei fywyd gerllaw, fel y gallwch ei agor ar dudalen benodol a dechrau sgwrs drwy gyfeirio at ddigwyddiad yn y gorffennol sy'n rhoi pleser iddo. Hyd yn oed os nad yw'r person yn gallu ymuno yn y sgwrs, bydd synhwyro eich diddordeb dieiriau a'ch cyfathrebu hamddenol yn help i ddechrau'r dydd mewn hwyliau cadarnhaol.

Mae awgrymu dillad i'w gwisgo yn ffordd effeithiol o gynnal lles a magu hyder i weithredu. Trwy roi prin ddigon o gymorth iddo lwyddo'n annibynnol, byddwch yn ei alluogi i deimlo'n gadarnhaol. Rhowch ddewisiadau syml ac yn unol â'i allu, er mwyn llwyddo: a gofynnwch gwestiynau fel, 'Hoffech chi wisgo'r ffrog yma heddiw neu ryw ffrog arall?' neu i wneud pethau'n symlach eto, 'Hoffech chi wisgo'r ffrog yma?'

Weithiau bydd rhaid i chi fod yn gadarn er mwyn tywys y person i gyfeiriad canlyniad da. Rhaid gwneud hynny'n ofalus rhag i'r person deimlo mai chi sy'n rheoli. Gwyliwch gyd-weithwyr profiadol sy'n dda yn eu gwaith. Dysgwch ganddynt. Maent wedi hen ddeall pryd i ymatal a gadael i'r person gael ei ffordd, a phryd i ymyrryd a rhoi arweiniad a chyfeiriad mewn modd sy'n gwarchod urddas y person.

Mynd i'r toiled

Mae helpu rhywun i gadw'i hun rhag gwlychu a baeddu yn agwedd bwysig ar ddiogelu ei urddas. Mae cael 'damwain' a gwlychu ei hun yn gyhoeddus yn gallu arwain at embaras enbyd ac awydd i gilio o'r golwg. Cofiwch fod defnyddio'r toiled yn golygu mwy na mynd bob dwy awr. Mae hefyd yn fater o gofio pwysigrwydd y weithred hon i'r person. Rhaid cofio bod prosesau'r corff o basio dŵr ac ymgarthu yn hanfodol bwysig i gadw hunan-barch ac urddas personol.

Felly bydd lles person yn dibynnu'n helaeth ar y modd y byddwch yn mynd ato. Siaradwch yn dawel bob amser wrth wahodd rhywun i ddefnyddio'r toiled. Dylid gwahodd, nid gorfodi na gorchymyn. Rhowch ddewis os yw'n bosib. Awgrymwch. Mae rhai'n meddwl bod ateb 'Na' yn golygu y dylent adael iddo, ond mae dewisiadau eraill yn bosib. Dewch yn ôl at y pwnc yn ddiweddarach, er enghraifft, pan fydd rhywun arall gerllaw yn gofyn am gael mynd i'r toiled gallech ofyn, 'Fyddech chi'n hoffi i mi eich helpu chi hefyd?' Rhaid parchu hawl person i wrthod. Gofynnwch am ganiatâd cyn dechrau diosg dillad. Mae hyn yn barchus ac yn synhwyrol hefyd. Gwell yw gadael llonydd i berson na mentro creu drwgdeimlad ac iddo golli ymddiriedaeth ynoch. Mae agwedd gyfeillgar a newid dillad yn ddiffwdan yn gallu lleddfu embaras neu golli urddas dros dro. Mae hyn yn well o lawer nag iddo'ch cysylltu chi â gwewyr a gwlychu.

Mynd allan

Dylai rhywun sydd â dementia barhau i fod mewn sefyllfaoedd cymdeithasol fel siopa, gweld chwaraeon, mynd i'r sinema neu i dŷ bwyta nes i'r profiad fynd yn ormod o straen arno, neu arnoch chi fel gofalwr.

Rhaid iddo fod wedi gwisgo'n addas i'r digwyddiad, rhag iddo fod yn amlwg a thynnu sylw negyddol ato'i hun a'i fod yn gartrefol yn ei sefyllfa gymdeithasol ac ymhlith ei gyfeillion. Mae hyn yn hanfodol i'w alluogi i gymdeithasu'n llwyddiannus a theimlo'i fod wedi'i gynnwys. Mae'n bodloni ei angen am berthyn a hunaniaeth ac yn rhoi cyfle iddo deimlo'n hardd neu'n smart ac yn ddeniadol neu'n broffesiynol, yn ôl ei angen i 'deimlo fel yr oeddwn i'.

Paratowch ar gyfer tripiau drwy ystyried a fyddai'n well rhoi digon o rybudd iddo am y digwyddiad, neu ychydig o rybudd. Mae rhai pobl yn mynd yn orbryderus o glywed yn rhy fuan am y bwriad i fynd allan, ac yn achos y rhain byddai rhybudd o hanner awr yn ddigon, gan roi digon o amser iddynt newid eu dillad. Efallai fod hyn yn wahanol i'r hen drefn, ond dyma sut mae'n rhaid i chi asesu sefyllfaoedd nawr – yr hyn sy'n iawn yn y presennol, nid yr hyn a oedd yn iawn yn y gorffennol. Os ydy hyn yn mynd i fod yn iawn i'r ddau ohonoch, rhaid iddo ganolbwyntio ar anghenion presennol y person yn hytrach nag ar yr hyn a oedd yn well ganddo. Mae hyn yn anodd yn aml i aelodau'r teulu sy'n gofalu. Felly os ydych chi'n gofalu am eich gŵr neu'ch gwraig, neu am riant, bydd angen i chi feddwl mewn ffordd wahanol. Haws dweud na gwneud ac mae gwneud hyn yn dda yn hynod anodd yn emosiynol. Felly byddwch yn amyneddgar os na fyddwch yn llwyddo neu'n ei chael hi'n anodd ei wneud yn gyson.

Diflasu

Mae'r rhan fwyaf ohonom yn llwyddo i gadw'n brysur y rhan fwyaf o'r amser, er bod diwrnod o wneud dim yn ddymunol iawn weithiau! Mae'r newidiadau yn yr ymennydd o ganlyniad i ddementia yn golygu nad yw person yn gallu gwneud y pethau oedd gynt yn ennyn ei ddiddordeb ac yn gynhyrchiol. Gall hyn gynnwys cofio am dasgau i'w gwneud, canolbwyntio, gwneud pethau yn eu trefn, gorffen tasg, datrys problemau a meddwl am effaith ei ymddygiad ar bobl eraill.

Mae diffyg gweithgarwch dros gyfnod digon hir yn arwain at ddiffyg diddordeb, diflastod ac iselder ysbryd yn y pen draw. Mae'n eithriadol o anodd ailennyn diddordeb rhywun ôl iddo golli diddordeb yn sylweddol, gan fod proses clefyd yr ymennydd yn raddol yn amddifadu person o'r gallu mae angen iddo'i ddefnyddio.

Bydd angen i chi addasu gweithgareddau'r person i'r hyn sydd o fewn ei allu a'i helpu i lenwi'r bylchau mae dementia wedi'u creu. Gall hyn olygu cynnig gweithgareddau sy'n addas i'w alluoedd ac yn gysylltiedig â'i orffennol – bydd hyn yn rhoi ystyr i'r gweithgaredd. Dewiswch un sydd o ddiddordeb iddo, yn gyfarwydd ac o fewn ei rychwant sylw. Wedyn byddwch yn barod i roi'r gefnogaeth i'w helpu i lwyddo – a hynny'n unig. Peidiwch â gwneud y cyfan drosto.

Gwneud camgymeriadau

Trefnodd aelod o'r staff weithgaredd celf ar gyfer grŵp o breswylwyr. Rhannodd hwyaid ac adar o blastr iddynt eu lliwio. Aeth pawb ati'n frwd i beintio nes i un o'r gwirfoddolwyr ddweud yn uchel, 'Tydi hwyaid ddim yn goch, maen nhw'n frown neu'n wyn!' Roedd y siom yn amlwg ar wyneb y person pan sylweddolodd ei fod wedi gwneud camgymeriad.

Peidiwch byth â chywiro camgymeriadau. Nid yw llwyddiant yn cael ei fesur yn ôl cywirdeb y gwaith, ond yn ôl cyfraniad person a'i ymdeimlad o foddhad wrth lwyddo. Canolbwyntiwch bob amser ar gefnogi'r person mewn modd sy'n hybu ei brofiad o les.

Mae tynnu sylw at gamgymeriadau person sydd â dementia, mewn atgof neu mewn gweithred, yn gallu effeithio'n drychinebus ar ei les. Mae hynny'n wir i ni hefyd pan fyddwn ni'n gwneud camgymeriad. Mae peidio â chael popeth yn berffaith gywir yn iawn a gall y sawl sydd â dementia ein hatgoffa o'r gwirionedd hynod o bwysig hwn.

Ymarfer 5:1

Sefyllfaoedd penodol

1. Sut mae cynnal *rapport* wrth roi cawod i rywun sydd â dementia?

2. Beth sy'n bwysig ei gofio wrth helpu rhywun i fwyta?

3. Sut fyddech chi'n gwahodd rhywun i ddefnyddio'r toiled a chithau'n gwybod ei fod yn debygol o wrthod?

4. Mae cynnig dewisiadau'n bwysig, felly sut fyddech chi'n helpu rhywun i wisgo amdano os oes angen help arno i ddewis dillad?

GOFALU AMDANOCH CHI'CH HUN

Mae gofalu am rywun arall yn gallu bod yn brofiad llethol yn ogystal â rhoi boddhad i ni. Gallwn ddod i ben yn iawn â'r dyddiau boddhaol! Yr adegau anodd sy'n achosi gwewyr neu rwystredigaeth lwyr, ac yn tanseilio'n hyder.

Pen eich tennyn

Mae gennym oll drothwy straen y gallwn deimlo'n iawn oddi tano gan ddelio'n foddhaol â heriau. Uwchben y trothwy hwnnw cawn ein llethu a'n tristáu, a'r pethau syml pob dydd nad ydynt fel arfer yn ein poeni yn ein gwylltio, yn mynd yn anodd ac yn achosi straen.

Sut fyddwch chi'n gwybod eich bod yn dod i ben eich tennyn? Mae pawb yn wahanol. Mae'r pwysau o ofalu am rywun arall yn gallu digwydd yn araf a chynyddu gydag amser heb i ni sylweddoli hynny. Ddim ond ar ôl i ni groesi'r trothwy y gwelwn gymaint fu'r straen arnom. Beth yw'r arwyddion o straen i chi?

Beth wnewch chi pan fyddwch wedi cyrraedd pen eich tennyn a'ch bod ar fin ffrwydro? Dyma ychydig o awgrymiadau – gallwch ychwanegu rhai eraill o'ch profiad chi'ch hun.

- Ewch am dro.
- Gadewch y lle sy'n gysylltiedig â straen.
- Ffoniwch ffrind.
- Anadlwch yn ddwfn.
- Ewch i balu'r ardd.
- Atgoffwch eich hun: yr afiechyd sydd wrth wraidd y broblem.

Cadw draw o'ch trothwy

Mae gofalu amdanoch chi'ch hun fel gofalwr yr un mor bwysig â'r modd yr ydych yn gofalu am y person. Wrth ofalu amdanoch chi'ch hun rydych yn gwneud cymwynas â'r sawl sydd yn eich gofal, drwy sicrhau eich bod yn cadw'n iach ac yn dawel eich meddwl, ac yn gallu canolbwyntio ar ei anghenion pan fyddwch yn gofalu amdano nesaf.

Mae 'pedair colofn' iechyd da i chi ganolbwyntio arnynt wrth ystyried sut orau i ofalu amdanoch chi'ch hun.

1. Ffrindiau da

Parhewch â'ch bywyd cymdeithasol gyhyd ag y medrwch. Mae hynny'n arbennig o bwysig i rai sy'n gofalu am aelod o'r teulu yn y cartref. Hawdd iawn yw colli cysylltiad â ffrindiau, yn enwedig felly os yw'r sawl sydd yn eich gofal yn methu cymdeithasu mwyach. Gallai aros gartref fod yn haws. Ond mae cymdeithasu yn eich ysgogi i ymddiddori yn y byd y tu hwnt i furiau'r tŷ. Bydd hyn yn eich helpu i fod yn gadarnhaol ac i osgoi llithro i olwg ddigalon ar y byd, eich hun a'r un sydd yn eich gofal.

2. Bwyd da

O fwyta'n iach byddwch yn cadw'n iach. A'r sawl sydd yn eich gofal. Os nad ydych yn bwyta'n dda oherwydd diffyg diddordeb, dylech gysylltu â'ch meddyg teulu i drafod iselder. Mae diffyg chwant bwyd yn arwydd o iselder a dylid ei ystyried o ddifrif, gan fod hyn yn debygol o ddigwydd i ofalwyr sydd yn aml yn flinedig ac wedi'u hynysu'n gymdeithasol.

3. Cysgu'n dda

Mae cysgu yn iacháu. Faint o gwsg sy'n eich dadflino chi? Os ydych yn gofalu am aelod o'r teulu efallai mai ychydig iawn o gwsg a gewch, yn enwedig os nad yw'n cysgu'n dda. Os ydych yn rhannu gwely ag ef neu hi, gall hyn fod yn fwy cymhleth eto.

Mae yna rythm i gwsg a gallwch baratoi ar ei gyfer drwy gymryd amser i arafu'ch system cyn i chi fynd i'r gwely. Peidiwch ag yfed coffi na diodydd eraill â chaffein ynddynt na bwyta'n hwyr y nos. Gall sefydlu trefn dda cyn cysgu eich helpu chi a'r un rydych chi'n gofalu amdano.

Mae cysgu'n dda yr un mor bwysig i ofalwr proffesiynol ac yn haws ei gynnal. Gofalwch eich bod yn cysgu'n dda cyn ichi ddechrau gweithio.

4. Ymarfer corff da

Mae gofalu am berson â dementia ynddo'i hun yn rhoi digon o ymarfer corff, ond dylech hefyd sicrhau eich bod yn mynd allan o'r tŷ ac yn mynd am dro gyda'r sawl sydd yn eich gofal, i fwynhau'r newid byd yn ogystal â chael ymarfer corff. Mae llif gwaed i'r ymennydd yn hanfodol bwysig a gall yr hormonau 'hwyliau da' a ryddheir wrth ymarfer eich codi allan o'r felan.

Gyda'r 'pedair colofn' hyn yn eu lle gallwch gadw eich corff mewn cyflwr da i wynebu'r straen a'r heriau o ofalu am rywun â dementia.

Trefn ddyddiol a'ch anghenion chi

Mae cadw at drefn ddyddiol yn werthfawr i'r sawl sy'n byw efo dementia a hefyd i chi, pe bai ond i roi rhywfaint o drefn ar sefyllfa a fyddai fel arall yn newid yn gyson. Dylai pob dydd fod â chydbwysedd rhwng amser o ofalu ymarferol ac amser i chithau fod yn rhydd o ofynion ymarferol gofal uniongyrchol. Mae hyn yn bwysig ar gyfer eich iechyd meddwl chi ac ar gyfer y sawl rydych chi'n gofalu amdano. Ni fyddwch o ddim help i neb os byddwch wedi ymlâdd neu wedi diffygio.

Gallwch ddefnyddio'r amser sydd wedi'i neilltuo i chi i orffwys gyda'ch llygaid ar gau, yn canolbwyntio ar atgofion pleserus am bobl a lleoedd. Mae hyn yn swnio'n hawdd – ond gall fod yn anodd ei gynnal. Y ddisgyblaeth i ddiogelu'r amser hwn i chi'ch hun sy'n ei wneud yn therapiwtig.

Mae gofalwyr yn teimlo'n isel weithiau

Rydym i gyd yn mynd yn isel ein hysbryd ar adegau neu'n teimlo'n negyddol am ein sefyllfa. Gall hyn ddatblygu'n iselder ac mae hynny'n brofiad i rai am weddill eu hoes. Mae gofalwyr yn arbennig o dueddol o fod yn isel eu hysbryd. Mae astudiaethau wedi dangos bod gofalwyr yn y cartref yn fwy tebygol o fod ag iselder na phobl eraill o'r un oed. Mae'r unigrwydd cymdeithasol a'r blinder dyddiol o ofalu am berthynas yn eich cartref yn gallu bod yn flinderus iawn. Hefyd, mae colli'r mwynhad o weithgareddau hamdden roeddech yn arferu eu mwynhau yn gallu eich tristáu. I wrthsefyll yr effeithiau hyn mae'n hanfodol bod y 'pedair colofn' yn eu lle ac yn ganolbwynt cyson i'r gofalwr yn y cartref. Mae'n help i bawb ganolbwyntio ar hyn i'n harbed rhag llithro i'r felan.

Pa adnoddau sydd gennych?

Waeth pa mor unig a llethol yw'r gwaith, mae gan bawb ohonom rai adnoddau y gallwn dynnu arnynt ar adegau anodd. Mae eu cofio yn gallu bod yn anodd pan fyddwch mewn angen. Byddai'n fuddiol rhestru'ch adnoddau i'ch atgoffa ohonynt pan fydd eu hangen arnoch. Gallai'r adnoddau gynnwys:

- Aelodau'r teulu y gallaf ddibynnu arnynt.
- Cyfeillion sy'n barod eu cefnogaeth.
- Cymdogion y gallaf alw arnynt neu ymweld â nhw.
- Diddordebau a hobïau.
- Grwpiau rwy'n perthyn iddynt.
- Fy adnoddau mewnol personol.
- Gosodiadau cadarnhaol y gallaf eu cyfeirio ataf i.

Mae gofalu am berson arall yn fraint ac yn bleser, gan amlaf. Un o'r gweithgareddau dynol pwysicaf y gallwn eu cyflawni mewn bywyd yw gofalu am berson arall anghenus. Mae gofalu am berson sydd â dementia yn enghraifft o'r fath berthynas freintiedig.

Ymarfer 6:1

Gofalu amdanoch chi'ch hun

1. Rhestrwch arwyddion o straen yr ydych yn eu hadnabod ynoch chi'ch hun.

2. Pa briodoleddau personol sy'n eich helpu i gadw'n iach, yn emosiynol ac yn gorfforol?

3. Rhestrwch eich dulliau o ofalu amdanoch eich hun dan y 'pedair colofn'.

    a. Bwyd da
       i.   Sut ydych chi'n gofalu eich bod yn bwyta'n dda?
       ii. Pryd fuoch chi allan ddiwethaf am bryd o fwyd gyda ffrindiau?

    b. Ffrindiau da
       i.   Sut ydych chi'n cadw cysylltiad â ffrindiau?
       ii. Pryd wnaethoch chi ffonio cyfaill a sôn amdanoch chi'ch hun?
       iii. Pryd oedd y tro diwethaf i chi fynd allan i weld ffilm?

    c. Cysgu'n dda
       i.   Beth yw eich trefn wrth fynd i gysgu?
       ii. Sawl awr o gwsg y noson sydd eu hangen arnoch i ddadflino?
       iii. Sawl awr o gwsg ydych chi'n eu cael?
       iv. Sut fyddwch chi'n sicrhau eich bod yn cael noson dda o gwsg?
       v.   Beth fyddwch chi'n ei wneud pan na fyddwch chi'n cysgu'n dda?

ch. Ymarfer corff da

    i. Pa mor aml fyddwch chi'n cerdded am 20–30 munud?

    ii. Pryd gawsoch chi archwiliad meddygol ddiwethaf?

4. Pa adnoddau y gallwch chi alw arnynt os oes angen help arnoch chi?

5. Sut fydd eich sgyrsiau â chi'ch hun yn codi'ch ysbryd ac yn eich helpu i ddal ati?

DIWEDDGLO

Rwy'n gobeithio bod y dull o ofalu sy'n canolbwyntio ar yr unigolyn yn eich helpu i gyfathrebu, i sefydlu perthynas dda ac i dreiddio i fyd y bobl rydych chi'n gofalu amdanynt. Mae byd dementia yn fyd dryslyd a brawychus ar adegau, i'r sawl sy'n byw yn y byd hwnnw ac i'r rhai o'i amgylch. Wrth fynd i mewn i fyd rhywun arall, gall eich gofal a'ch gallu i gyfathrebu wneud ei brofiad yn bleserus, yn heddychlon ac yn urddasol, a bydd yn gwella ac yn cynnal ei bersonoldeb wrth i chi gyd-deithio drwy ddementia.

ATODIAD

Arwyddion lles

- Yn cyfleu dymuniadau/anghenion yn llwyddiannus
- Yn dangos diddordeb yn y bobl, y pethau a'r digwyddiadau o'i gwmpas
- Yn sensitif i anghenion emosiynol pobl eraill
- Gwenu a chwerthin yn cyfleu hwyl gadarnhaol
- Yn cymryd rhan mewn gweithgareddau creadigol fel peintio, canu a dawnsio
- Yn dangos mwynhad mewn gweithgareddau ar y cyd
- Yn dangos ymwybyddiaeth o les eraill drwy fod yn barod i helpu
- Yn ymddwyn yn briodol yn gymdeithasol (cyswllt llygaid, dechrau sgwrs, cyffwrdd yn briodol)
- Yn gallu bod yn annwyl
- Yn dangos hunan-barch trwy wisgo'n drwsiadus
- Ymlacio'n gorfforol (wyneb bodlon, osgo'r corff)
- Yn dangos hiwmor ac ysbryd chwareus

- Yn cydweithredu pan fydd rhywun yn gofyn iddo wneud rhywbeth
- Yn mwynhau bywyd
- Yn hyderus
- Yn siriol
- Yn barod i gydweithredu â'r gofalu
- Yn ymddiried mewn pobl eraill
- Yn teimlo'n gyfforddus ag agosrwydd corfforol

Arwyddion afles

- Hwyl negyddol (yn amlygu ei hun mewn wyneb trist, osgo corfforol a synau, er enghraifft, griddfan yn ddistaw, gweiddi allan, crio neu sgrechian)
- Cerdded i mewn i le personol rhywun arall neu i fannau peryglus
- Yn drist a thrallodus
- Yn ddig ac ymosodol
- Wedi cynhyrfu neu'n anniddig
- Yn dangos gorbryder neu ofn
- Diflastod
- Tensiwn corfforol
- Pobl eraill yn ei chael hi'n hawdd bod yn feistr arno
- Yn cael ei anwybyddu neu ei wrthod gan eraill
- Diffyg egni a diddordeb

- Yn encilio
- Mewn poen corfforol neu'n anesmwyth yn gorfforol
- Yn methu mwynhau dim
- Yn unig
- Yn gwneud sŵn, yn galw allan neu'n defnyddio'r llais
- Yn gwrthod gofal ar lafar
- Yn amheus o bobl eraill
- Yn bygwth eraill yn gorfforol

CYFEIRIADAU

Axel, G. (1987) *Babette's Feast* (ffilm).

Grŵp Dementia Bradford (2005) *Dementia Care Mapping: Principles and Practice*. Prifysgol Bradford: Grŵp Dementia Bradford.

Brooker, D. (2004) 'What is person-centred care in dementia?' *Reviews in Clinical Gerontology 13*, 1–8.

Brooker, D. (2007) *Person-centred Dementia Care: Making Services Better*. Llundain: Jessica Kingsley Publishers.

Chaudhury, H. (2008) *Remembering Home: Rediscovering the Self in Dementia*. Baltimore, Maryland, UDA: The Johns Hopkins University Press.

Killick, J. (1997) *You Are Words: Dementia Poems*. Llundain: Hawker.

Killick, J. a Cordonnier, C. (2000) *Openings: Dementia Poems and Photographs*. Llundain: Hawker.

Kitwood, T. (1997) *Dementia Reconsidered: The Person Comes First*. Buckingham: Open University Press.

Kitwood, T. a Bredin, K. (1992) 'Towards a theory of dementia care: personhood and wellbeing.' *Ageing and Society 12*, 269–287.

MYNEGAI